Algues et Santé

Photographies de couverture:

Vue sous-marine (*Corynactis*) de Marc ARZEL (Brest).

Paysage côtier par Serge GUILBERT-HAYS

Plat d'algues par Monica LACOMBE

Remerciements à :

Jean-François ARBONA
Monica LACOMBE
Marc ARZEL
Société LIMA
Guy BALAHY

91730 CHAMARANDE

Algues et Santé

Le Souffle d'Or

Corynactis
Photo
ARZAL

INTRODUCTION

Les algues que la mer prodigue à l'homme, parfois en grande abondance, sans qu'il ait besoin de fournir la moindre matière première ou le moindre effort pour leur production, ne pouvaient manquer d'attirer son attention comme source de revenus exploitable, particulièrement dans les régions desheritées ou dans celles qui, par rapport à la population, sont insuffisamment pourvues en ressources naturelles.

Aussi, depuis longtemps ces végétaux jouent-ils un rôle important dans l'économie de certains pays, en particulier en Extrême Orient.

Depuis quelques années, les pays occidentaux eux-mêmes s'intéressent aux algues car si les progrès de la technique ont permis initialement d'espérer un accroissement des ressources, il semble que ces possibilités aient une limite. Aussi, sur cette Terre qui mérite si mal son nom puisque sa surface est pour 7/10e couverte d'eau, il semble normal de rechercher dans l'eau une augmentation de la production d'aliments, voire de nouvelles ressources, notamment par l'utilisation des algues.

* *
*

L'algologie est un domaine très vaste et très complexe. Il reste encore de nombreuses espèces marines et continentales à inventorier et surtout à étudier. Il n'est pas question ici d'entrer dans le détail de toutes les classifications, ordres, familles, etc... et leurs caractéristiques, des traités complets existent sur ce sujet. Ce petit fascicule n'a pour but que de donner les grandes lignes générales et d'indiquer les particularités observées, testées, et les applications réalisées sur certaines espèces.

TABLE DES MATIERES

LES ALGUES

QUE SONT-ELLES ?

Les algues semblent avoir été les premiers « êtres vivants » de notre monde et il y aurait 4 milliards d'années que la matière organique se serait constituée, et 2 milliards d'années que l'algue unicellulaire aurait pris naissance.

Ce sont des organismes chlorophylliens ayant besoin d'eau ou d'humidité, d'air, de lumière et de sels minéraux. Elles prospèrent partout où se trouvent réunies ces conditions ; c'est-à-dire mer, lacs, étangs, mares, tourbières, marais, ruisseaux, eaux vives, eaux thermales, rochers mouillés ou suintants, cascades. Certaines espèces se récoltent aussi sur terre, troncs humides*, neige colorée.

C'est un ensemble fort complexe et fort varié contenant des espèces qui diffèrent, parfois sensiblement, les unes des autres par leur habitat, leur système de reproduction, leur composition chimique, leurs réactions physiologiques, la résistance à la houle ou à l'éclairement.

On peut distinguer deux grandes formations :

1) *Le milieu marin*
   Influence des facteurs écologiques sur leur répartition :
   - Influence de la nature des fonds (fonds rochers, sableux, vaseux des estuaires)
   - Influence de la profondeur (exemple figure 1).
   - Influence de la lumière (cf. chapitre « Classification »)

* *La symbiose avec des champignons permet à certaines algues sous forme de lichens, d'occuper les lieux les moins hospitaliers.*

- Influence de la température jouant un grand rôle dans le cycle du développement. Par ailleurs, certaines espèces sont thermophiles (préférence marquée pour les eaux chaudes)
- Influence de l'oxygénation de l'eau (eaux calmes/eaux agitées)
- Influence de la composition chimique de l'eau (certaines algues se plaisent au voisinage des égouts, dans les zones polluées des ports, ce sont les espèces nitrophiles - Ulva, Enteromorpha,... -, d'autres demandes des teneurs élevées en sel - espèces des marais salants).

Zonation des algues dans l'Atlantique (Fig. 1)*

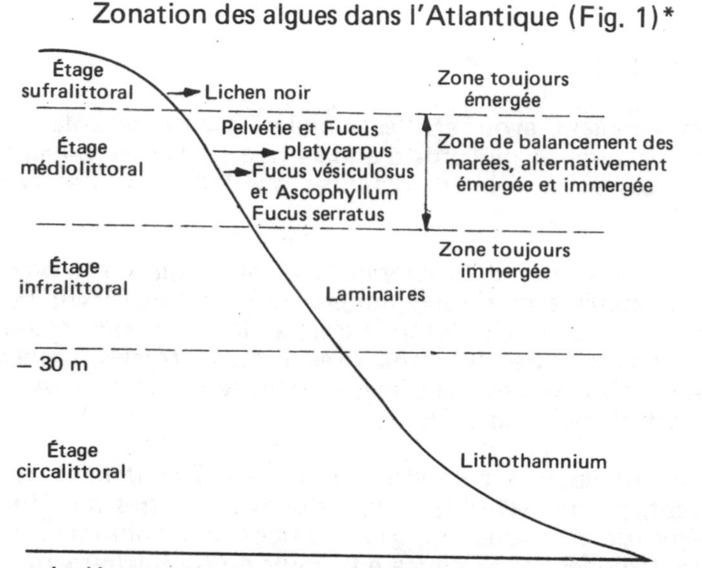

* *source « Je découvre les algues marines et d'eau douce » - Coll. « Agir et Connaître ».*

2) Les milieux d'eau douce

Pour simplifier, on peut appeler eaux douces les diverses formations aquatiques se rencontrant en milieu continental.

Il y a une grande diversité se présentant sous des aspects différents (torrent, mare, lac, rivière, sources salées, etc...), variété d'aspect se retrouvant au niveau de la composition chimique et physique de l'eau.

Les algues, grâce à la photosynthèse - ou assimilation chlorophyllienne par l'intermédiaire de corpuscules dorés (les plastes) - sont d'excellents capteurs solaires et emmagasineurs d'énergie.

Leur taille varie de quelques millièmes de mm, comme dans le cas des diatomées du plancton marin, à 100 m environ, pour la fameuse algue géante « Macrocystis pyrifera » dans le Pacifique, sur les côtes chilienne et californienne. Plantée à 1 m, deux mois après, par reproduction cellulaire, cette algue mesure 13 à 15 m ; elle a donc une forte puissance de reproduction et possède, par ailleurs, une grande richesse en phytohormone.

Mais quelle que soit leur taille, elles peuvent se trouver en si grande quantité, que, dans l'Océan Arctique, l'eau devient noire des Diatomées microscopiques qui vivent à sa surface et que, au Centre de l'Océan Atlantique, vers les Açores, entre les Bermudes et les Antilles, l'algue Fucus ou Sargassum natans, le « raisin de mer ou du Tropique », constitue la masse gigantesque de la « mer herbeuse », la « mer des Sargasses », la « prairie des varechs ».

Les espèces microscopiques ou submicroscopiques qui, passives ou douées de mobilité se maintiennent en flottaison dans l'eau, constituent le plancton végétal ou phytoplancton exclusivement composé d'algues.

Les algues planctoniques unicellulaires ont des dimensions comprises entre quelques millièmes de mm et quelques dixièmes de mm. Elles jouent un rôle aussi bien dans les eaux douces qu'en milieu marin, car elles constituent le premier maillon de la chaîne alimentaire et sont responsables de la transformation des substances minérales en matières organiques. Elles nourrissent les animaux phytophages et zoophages et permettent le développement des bactéries saprophytes.

Les algues sont classées comme des végétaux cryptogames.

N'ayant ni racines, ni tiges, ni feuilles, ni fleurs, elles sont formées de 3 parties plus ou moins nettes :

- le crampon ou bulbe, qui est une simple organe de fixation ;
- le stipe, tige cylindrique de longueur variable, qui est le corps même de l'algue ;
- la lame, fronde ou thalle, par laquelle l'algue assure sa nutrition et accumule les réserves ; c'est elle qui porte les organes reproducteurs : spore, sporanges, réceptacles.

La « plante marine »* est l'inverse d'une « plante terrestre » comme on peut le voir sur la figure 2.

* *A noter que certaines plantes marines ne sont pas des algues.*

(fig 2)

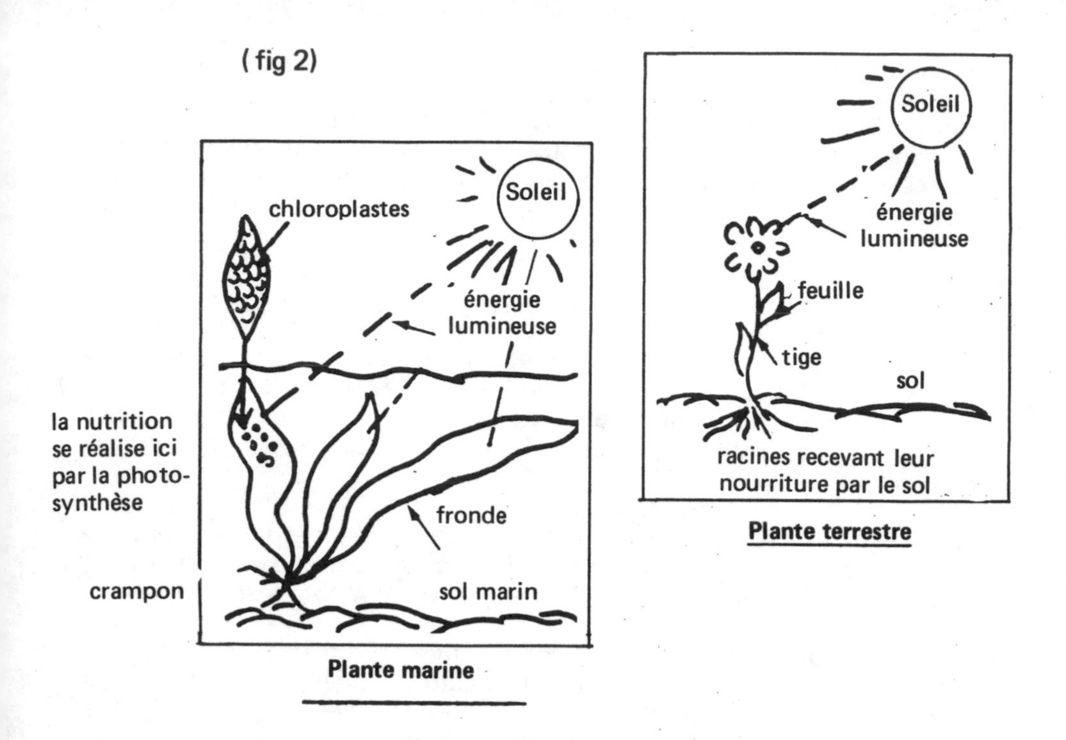

Plante marine

Plante terrestre

Pour les éléments de classification et de reconnaissance des algues, nous pouvons nous baser sur les critères principaux suivants : morphologie, écologie, mode de reproduction, présence ou absence de noyau et de plaste, chlorophylle seule ou masquée par divers pigments, existence d'amidon.

CLASSIFICATION

Il n'est pas arbitraire de classer les algues , selon leur couleur, qui va de pair avec tout un ensemble de caractères :

- les algues bleues (cyanophycées) à structure cellulaire de type primitif, noyau non délimité, capables d'utiliser l'azote à l'état moléculaire, qu'elles soient terrestres (nostoc) ou d'eau douce (oscillaire)

- les algues rouges (rhodophycées), tirent parti des rayons solaires de courtes longueurs d'ondes, très pénétrants dans l'eau, ce qui leur permet une croissance à une profondeur atteignant parfois 50 m, sans leur interdire les stations de surface ou les eaux douces. De nombreuses espèces (corallines) s'incrustent d'une gaine calcaire.

– les algues brunes (phaeophycées) sont majoritaires dans le varech (ou goémon). Fucus, ascophyllum, laminaires, peuplent toutes nos côtes. Le pigment brun leur permet l'usage des longueurs d'onde moyennes et courtes et l'accès de profondeurs de 10 à 20 m, mais leur aptitude à supporter de longues émersions les qualifie aussi pour l'extrême bord des rivages à fortes marées.

– les algues vertes (chlorophycées), sans autre pigment que la chlorophylle, forment un groupe où l'on trouve des formes et des modes de reproduction fort divers. Parmi les espèces de rivages on trouve par exemple l'ulve.

– les formes microscopiques ou unicellulaires (diatomées, xanthophycées, volvocales, phytoflagellées, etc...) abondent dans le phytoplancton marin et d'eau douce ; leurs débris minéraux jouent parfois un rôle géologique décisif. Cyanelles, chlorelles et xanthelles pratiquent la symbiose avec des animaux. Les protocoques forment la poussière verte des troncs d'arbre.

RÉCOLTE

On donne comme bonnes conditions de récolte pour les algues en général :
- Récolte au printemps en pleine activité biologique
- Site sous marin brassé et oxygéné.

Différents procédés :

1) Les algues récoltées à basse mer sont appelées algues d'épaves, varech ou goémon. Elles sont le plus souvent ensablées, polluées, mazoutées ; elles ont perdu environ 60 à 70 % de leurs propriétés. Éviter ces dernières pour tout traitement interne, alimentation.

2) On peut procéder aussi à la récolte des algues de rives ; celles qui se découvrent à marée basse sur les roches. Les algues sont ramenées à la côte par charrette, séchées au soleil ; leur exploitation est pénible et inconstante. Elles ont perdu également 50 à 60 % de leurs propriétés.

3) Pour une excellente récolte d'algues, on procède à la coupe entre 5 et 40 m de fond ; elles sont ainsi péchées vivantes, remontées

grâce à un système hydro-éjecteur, conservées intactes à bord d'un bateau spécial à « mer ouverte » divisé en cales viviers.

Traitement :

A l'arrivage, les algues de mer sont traitées par un procédé exclusif, sans échauffement, ni deshydratation. En effet, le séchage au soleil sur les dunes ou la deshydratation au séchoir détruiraient en grande partie les vitamines et les phytohormones des algues de mer. Après 6 broyages successifs, et avoir été traitées à – 35° C, elles sont immédiatement conditionnées et conservées à – 15° C. (Le broyage permet d'assurer le micro-éclatement total des cellules et la libération de tous les éléments actifs). Les algues ainsi traitées sont le seul produit d'algues fraîches non deshydratées et dont la conservation est garantie un an.

(Mode de récolte et traitement indiqués par un Institut d'Algologie)

* *
*

Bien que les méthodes modernes de récolte soient maintenant plus largement utilisées, par exemple : équipement de grands bateaux « tondeuses », puis ensuite traitement des algues par passage dans des deshydrateurs à haute température, le Dr. J.V. Wachter mentionnait, il y a quelques temps, dans son ouvrage, la survivance d'anciennes techniques.

Il rapporte notamment les méthodes observées au cours de ses voyages aux Philippines où la récolte se fait à la main, à marée basse, les algues étant ensuite séchées sur des rochers jusqu'à réduction de l'humidité au taux de 20 % , puis répandues à nouveau sur chaume ou litière pour abaisser ce taux à 15 % , avant d'être mises en balles et transportées par bateau jusqu'au marché.

Plus au Nord, dans l'île de Honshu au Japon, la cueillette est faite par des plongeuses, utilisant des petites barques qui, une fois remplies, transportent les algues vers des sortes de huches de séchage construites au dessus du sol et constituées de châssis de bambou sur lesquels sont posées des nattes ou autres matières tissées jusqu'à ce que s'empilent couche après couche les algues humides croisées pour arriver à une hauteur approximative de 3 m. Le tout est ensuite couvert et lié fortement pour constituer une pression permettant l'évacuation de l'eau. Puis après un certain temps, quand une grande partie de l'humidité est évacuée, les algues sont déposées sur des sortes de chevalets au soleil ou sur les toits des maisons jusqu'à ce que l'on arrive à un taux d'humidité de 12 %.

Sur la côte Ouest de l'Irlande, on utilise encore une méthode qui consiste à passer des contrats avec les fermiers dont les terres sont adjacentes aux plages et où à marée basse les variétés d'algues peuvent être récoltées et sélectionnées. Bien qu'il n'y ait que peu de soleil, elles sont laissées sur place jusqu'à une deshydratation de 50 % . Elles sont ensuite mises en meules. Le séchage continue, puis elles sont deshydratées à très basse température.

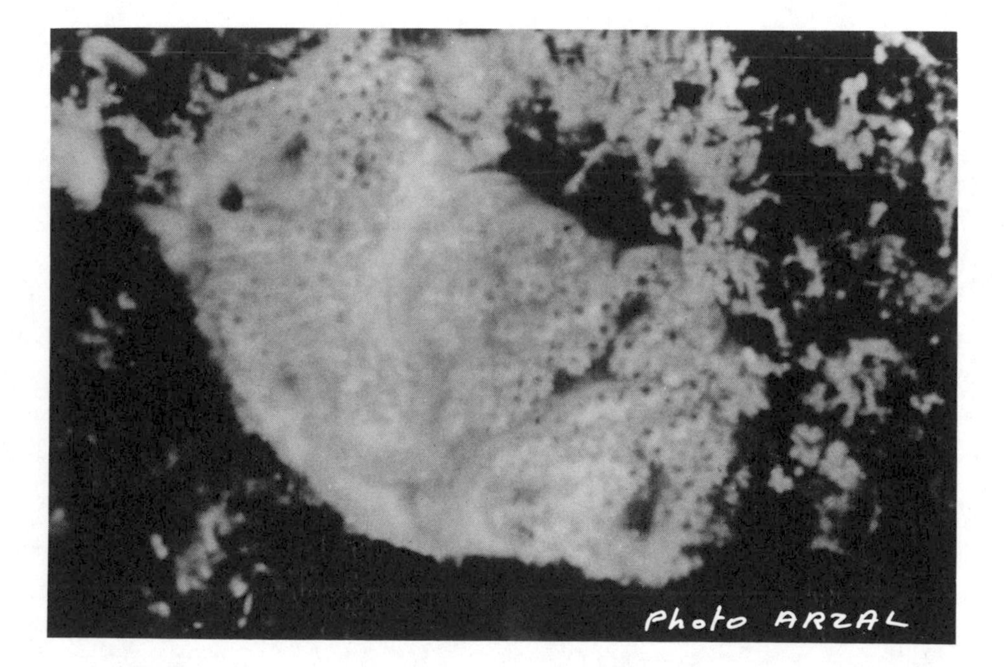
Photo ARZAL

PLANCHES D'ALGUES COURANTES

CHLOROPHYCÉES
(ulvacées)

ULVA LACTUCA

Thalle foliacé vert brillant fixé par un disque. L'ame orbiculaire, parfois plus large que longue.
Vit depuis l'étage littoral jusqu'à l'étage infralittoral.
Répartition cosmopolite.

Espèce utilisée dans divers pays pour l'alimentation. Riche en vitamines (particulièrement vit. A)

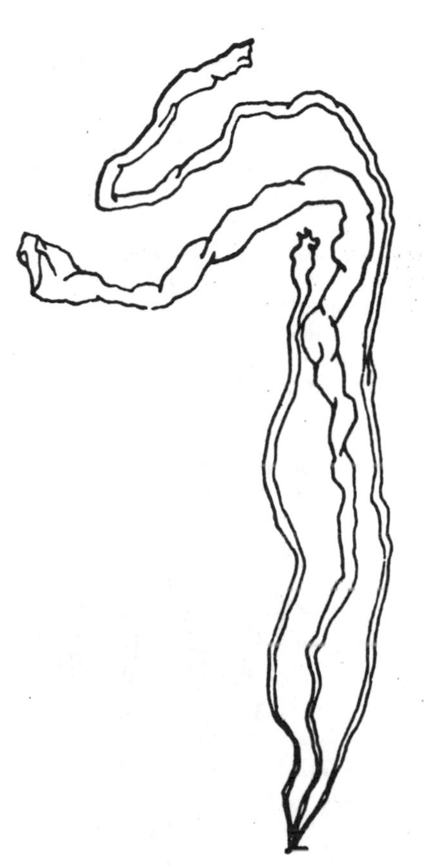

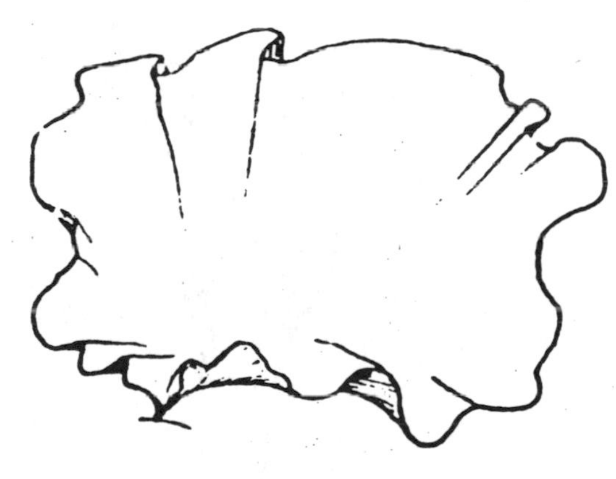

ENTEROMORPHA COMPRESSA

Frondes tubuleuses vertes, hautes de 10-20 cm. Chaque tube, d'abord mince s'élargit, pour devenir cylindrique.
Vit dans les cuvettes et sur les rochers de l'étage littoral moyen et supérieur.
Espèce très cosmopolite.

Comestible. Serait employée dans certains pays pour l'alimentation.

PHÉOPHYCÉES

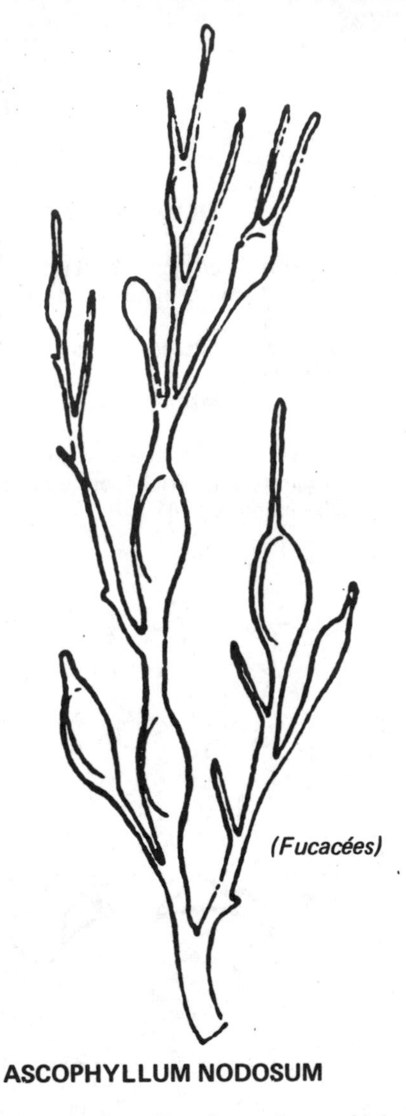

(Fucacées)

FUCUS VESICULOSUS

Thalle brun de 30-60 cm fixé par un disque que surmonte un stipe aplati sur lequel se forment souvent des rameaux adventifs. Il se continue sous forme d'une nervure médiane. Vésicules ovales ou sphériques disposées le long de la nervure.
Algue de niveau dans l'horizon moyen de l'étage littoral.
Répartition : Manche, Atlantique, - du Groëland jusqu'aux Canaries -, toutefois rare sur côte basque.

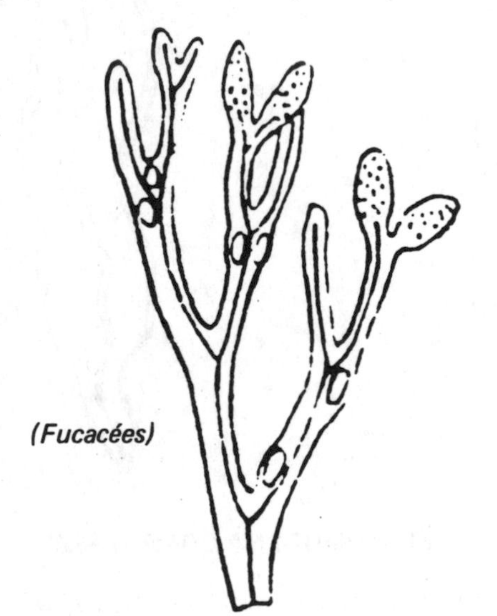

(Fucacées)

ASCOPHYLLUM NODOSUM

Thalle de grande taille, de quelques décimètres à 1,5 m fixé à la base par un disque large d'où partent plusieurs frondes. Teinte brun olivâtre.
Vit dans l'étage littoral au même niveau que Fucus Vesiculosus.
Répartition : Manche, Atlantique Nord jusque dans la péninsule Ibérique (absente de la côte basque).
Entre dans la composition du goémon.

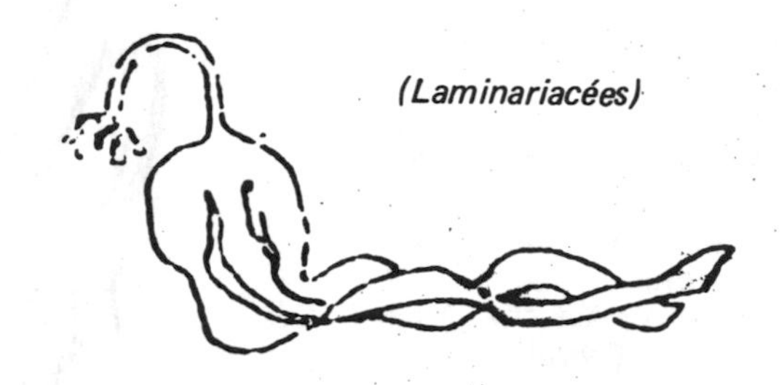

(Laminariacées)

LAMINARIA DIGITATA

Thalle pouvant atteindre 1 à 2 m e com- posé de bas en haut d'un bouquet d'hapt- eres ramifiés terminés par des disques adhésifs, d'un stipe cylindrique ou ellipti- que, d'une lame simple ou découpée en lanières.
Espèces commune à la base l'horizon inférieur de l'étage littoral et dans l'étage infralittoral.
Répartition : Manche, Atlantique, - du Groëland jusqu'en Bretagne.

Espèce récoltée pour potasse, soude, iode et alginates.

RHODOPHYCÉES

CHONDRUS CRISPUS

Thalle dressé, cartilagineux, de couleur foncée presque noire.
Comprend une partie basale étroite qui s'élargit progressivement et se ramifie plusieurs fois.
Vit en parasite sur les rochers de l'horizon inférieur de l'étage littoral.
Répartition géographique : Manche, Atlantique - de la Scandinavie à Gibraltar.

Espèce très recherchée pour l'extraction du mucilage nommé « Carragheen ».

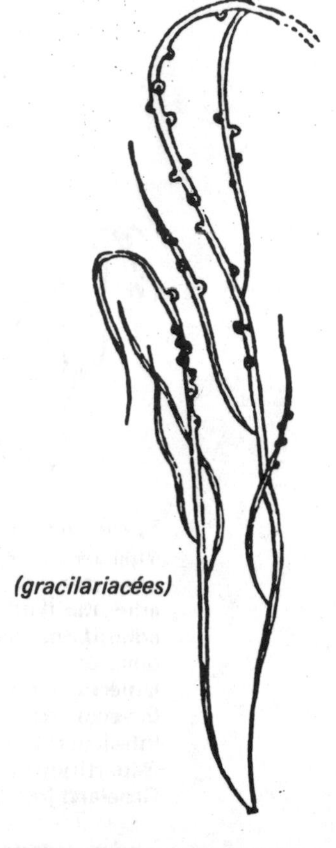

(gracilariacées)

(gigartinacées)

GRACILARIA VERRUCOSA / GRACILARIA CONFERVOIDES

Thalle rouge souvent jaunâtre cartilagineux filiforme atteignant parfois 50 cm. La base est un disque d'où partent des axes cylindriques amincis aux extrémités et ramifiés irrégulièrement.
Vit dans les cuvettes calmes, peu profondes de l'étage littoral.
Répartition : Manche, Atlantique - depuis la Scandinavie jusqu'au Rio de Oro -, Méditerranée.

Utilisée dans l'alimentation au Japon. Produit en outre de l'agar-agar.

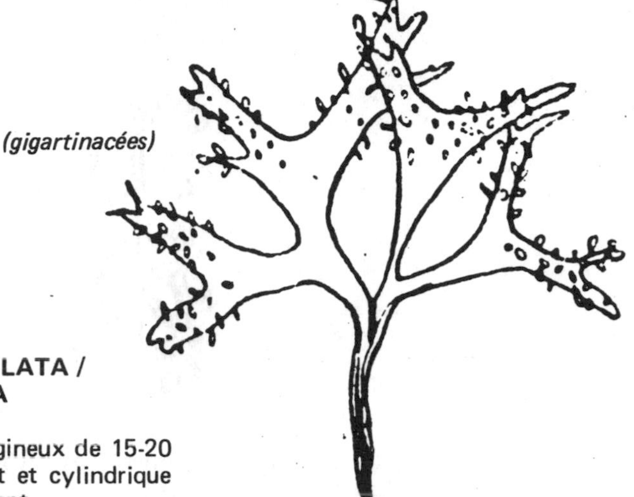

(gigartinacées)

GIGARTINA STELLATA / GIGARTINA MAMILLOSA

Thalle rouge foncé, cartilagineux de 15-20 cm de haut, d'abord étroit et cylindrique puis s'aplatissant et se divisant.
Vit sur les rochers de l'étage littoral inférieur, souvent mêlée à « Chondrus crispus ».

Répartition : Manche, Atlantique - depuis la Scandinavie jusqu'au Rio de Oro.

Espèce recherchée pour production de Carragheen.

GELIDIUM LATIFOLIUM

(gelidiacées)

Frondes rouge foncé atteignant généralement 5-6 cm de haut et formées de filaments rampants, desquels partent des rameaux plats et larges qui portent des ramules généralement opposés, aplatis.
Vit sur les rochers ou sur d'autres algues dans les stations calmes de l'étage littoral moyen.
Répartition : Manche, Atlantique - depuis la côte anglaise jusqu'au Rio de Oro -, Méditerranée.

Une des espèces les plus recherchées pour la production d'agar-agar.

RHODOPHYCÉES

(corallinacées)

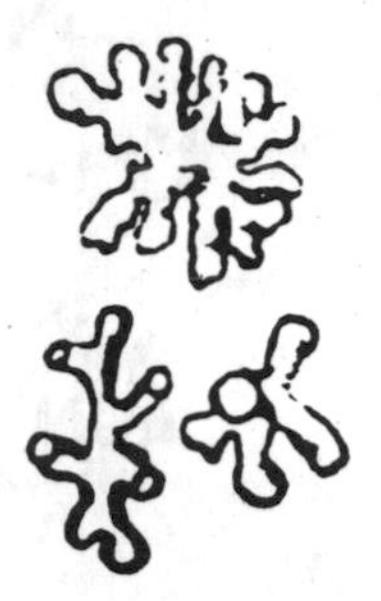

LITHOTHAMNIUM CALCAREUM

Thalle rouge violacé, libre, présentant des branches de 2-3 cm de diamètre, d'aspect très variable.
Vit sur fonds vaseux par 15-20 cm de profondeur.

Répartition : Manche, Atlantique - du Sud de la Norvège à Tanger -, Méditerranée.

Connus sous le nom de « maërl », les thalles morts sont utilisés pour le chaulage des terres siliceuses.

LA MER,
NOTRE MERE NOURRICIERE

A la fin du siècle dernier, René Quinton, jeune biologiste, donna un développement nouveau aux travaux de Claude Bernard sur le milieu intérieur, en formulant la loi de constance marine : *la vie animale, apparue à l'état de cellule dans la mer, a toujours tendu à maintenir, pour son haut fonctionnement cellulaire à travers la série zoologique, les cellules composant chaque organisme, dans un milieu marin.* Si cette loi est juste, notre organisme n'est qu'*un aquarium marin* et notre milieu intérieur n'est que l'eau de mer.

Pour appuyer cette théorie, il réalisa quelques expériences visant à confirmer que les globules blancs humains continuent à vivre dans l'eau de mer, alors qu'ils périssent dans tout autre milieu artificiel. Au cours d'expériences plus osées, on saigna des chiens, en remplaçant le sang prélevé par de l'eau de mer désodée ; elles furent concluantes.

M. Oliviero, chimiste biologiste, écrivait en 1936 : *Non seulement la composition saline de nos humeurs est le calque de celle de l'eau de mer, mais encore la longueur d'onde des vibrations du cytoplasme dans lequel baignent les chromosomes de nos cellules est absolument la même que celle de l'eau de mer.*

QUE CONTIENNENT LES ALGUES ?

Les algues marines contiennent d'abord beaucoup d'eau, une grande quantité de plasma, environ 80 % de leur poids.

D'une richesse minérale extraordinaire, ce plasma renferme une multitude de métaux et métalloides dont l'état ionique laisse pressentir son rôle d'activateur biologique, d'accélérateur des échanges, ainsi que l'étendue de son action thérapeutique. C'est par excellence, un accumulateur d'oligo-éléments.

C'est que les algues marines y concentrent remarquablement tous les matériaux qu'elles empruntent à l'eau de mer pour leur nutrition, en faisant un choix parmi les substances qui y sont dissoutes.

Il a été constaté que l'algue marine est 500 fois plus riche en *iode* que l'eau de mer. Un kilogramme de cette plante à l'état frais contient un gramme d'iode, tandis qu'un kg d'eau de mer, même la plus riche, n'en contient que deux milligrammes (l'homme a besoin de 50 à 200 millièmes de mmg d'iode par jour). L'un des éléments les plus importants des algues étant l'iode, il est bon de montrer de quelle façon l'iode contenu dans les algues peut revitaliser tout l'organisme.
On sait que la glande thyroïde joue un très grand rôle dans le fonctionnement normal du corps et de l'esprit. En effet, elle secrète la thyroxine qui tue les bactéries, microbes et germes contenus dans le sang et la plupart du temps en provenance des intestins ;

- contrôle le métabolisme
- vitalise les cellules
- permet de répondre adéquatement à la stimulation du système nerveux sympathique
- augmente la puissance de la fonction cardiaque
- supprime la tension nerveuse et calme les nerfs
- conditionne la coagulation du sang
- équilibre les sécrétions de divers organes
- aide à l'élimination des toxines, du cholestérol et de l'acide urique
- stimule et éclaircit le cerveau
- régularise les réserves de graisse dans le corps
- favorise l'activité intestinale et pancréatique
- harmonise les fonctions des surrénales
- influence la production hormonale
- normalise les fonctions ovariennes et testiculaires
- travaille en coopération avec les parathyroïdes
- agit en conjonction avec la glande pituitaire
- coordonne divers mécanismes nécessaires à la force physique et à l'agilité intellectuelle
- active la circulation sanguine, etc.

On peut trouver dans les algues (selon les espèces et en proportions variées, selon également la saison, luminosité, qualité des sols marins), les éléments suivants :

- **Minéraux (24 à 25 %) et Oligo-éléments en abondance :**
  Calcium, Magnésium, Potassium, Chlore, Brome, Iode, Sodium, Phosphore, Soufre, Aluminium, Fer, Manganèse, Silicium, Zinc, Or, Étain, Rubidium, Cuivre, Strontium, Germanium, Baryum, Gallium, Col-

balt, Argent, Plomb, Bismuth, Arsenic, Antimoine, Lithium, Bore, Fluor, Argon, Crypton, Glucinium, Cérium, Titane, Vanadium, Zénon, Europium, Francium, et autres oligo-éléments, tous liés à la matière organique ;

dont certains ont un rôle très important à jouer dans l'organisme, comme par exemple :
- Le Chlorure de sodium intervient dans l'équilibre acide-base
- Le Magnésium favorise les défenses de l'organisme, active les fonctions cellulaires
- Le Calcium antiallergique, régularise le système neuro-végétatif
- Le Potassium stimule la diurèse, son action sur le cœur est importante
- L'Iode agit sur la thyroïde, le sang, les artères, le vieillissement et la fatigue
- Le Cuivre, le Zinc, le Manganèse stimulent et rééquilibrent les glandes à sécrétion interne (système endocrinien).

(Pour ne citer que quelques fonctions).

- **Protéines.**
  Le contenu en protéines est variable, autour de 25 % en poids sec ; il varie selon les espèces (de 4 à 44 % environ), selon la saison et d'autres facteurs.
  Il est à son maximum au printemps, diminuant avec la maturité et la diminution de nitrate dans l'eau utilisée par l'algue.

  On parle de variétés riches en protéines telles que (Nostoc, Analipus Japonicus, Entéromorpha Linza, certaines variétés de Porphyra) (voir également chapitre « Chlorella » et « Spirulina »).

- **Acides aminés.**
  On sait que les acides aminés, au nombre de 24, sont les éléments constitutifs des protides, des protéines, qui sont elles-mêmes les constituants essentiels de la cellule vivante.

  Selon les espèces, on trouve :
  acide glutamique, leucine, isoleucine, valine, sérine, alanine, phénylalanine, thréonine, thyrosine, methionine, cystine, lysine, histidine, proline, tryptophane.

  Chacun des acides aminés possède une activité spécifique, d'autant plus actifs chez les algues qu'ils se trouvent associés aux nombreux bio-éléments marins catalyseurs.

Ci-dessous, quelques exemples du rôle de certains acides aminés :
- histidine : nécessaire à l'élaboration des albumines tissulaires ainsi que de l'hémoglobine. Son absence provoque un amaigrissement notable et des perturbations dans le métabolisme des purines.
- lysine : joue un rôle de premier plan dans les phénomènes de croissance.
- tryptophane : hématopoiétique.
- cystine : son absence dans la nourriture entraîne des perturbations dans l'élaboration de la bile, partant dans les processus de digestion.
- methionine : régénérateur et protecteur de la cellule hépatique
- acide glutamique : intervient dans l'activité cérébrale.
  etc....

On trouve également :
- des diastases
- des vitamines : A, B1, B2, B3, B6, B12, C, D, D2, E, F, K, PP
- du carotène (pro-vitamine A)

Certaines algues contiennent presque autant de vit. E que le germe de blé.
L'algue rouge palmaria palmata contient à peu près autant de vit. C que l'orange (à poids égal).
Porphyra perforata, Alavia valida et Gigartina paillata avoisinent en vit. C, celle du citron.

Vit. A et pro-vitamine A, vitamine D
Les laminaires contiennent un algosterol, pro-vitamine D, du type ergosterol, que les rayons solaires transforment en une vitamine anti-rachitique. L'huile de foie de morue doit son action au sterol (algosterine) emmagasiné dans le foie de poisson, la présence de cette algosterine ayant pour point de départ les algues chlorophylliennes qui servent de nourriture aux alevins et aux petits poissons.

Les espèces Ulva lactuca et Laminaria digitata contiennent une forte proportion de vit. A.

Vit. B12
Ce n'est que récemment que la présence de Vit. B12 a été décelée dans les algues marines. Une communication remontant à 1953 constate que parmi les sources alimentaires de vit. B12, les algues étaient mieux placés que le lait (le % dans ce dernier est de l'ordre de 0,004 microgramme/millilitre). Les algues vertes atteignent la plus haute teneur : en moyenne 0,35 microgramme/gramme à sec.

L'Algue rouge renferme en moyenne 0,27 microgramme/gramme et l'algue brune, 0,07 microgramme/gramme. Les deux espèces de la famille des algues japonaises, le kombu et le wakamé *(Laminaria hyperborea et Alaria esculenta)* ont une teneur de 0,15 microgramme/gramme. De plus, on a constaté qu'une algue bleu-vert d'eau douce, la *Spirulina maxima,* renferme 2,55 microgrammes/gramme à sec. Il apparaît clairement dans tous ces exemples que la présence de vitamines B12 provient dans une large mesure des bactéries qui vivent au contact de l'algue. Ces bactéries produisent la vitamine par synthèse et celle-ci est ensuite assimilée par la plante où la plus forte concentration se retrouve dans les fruits.

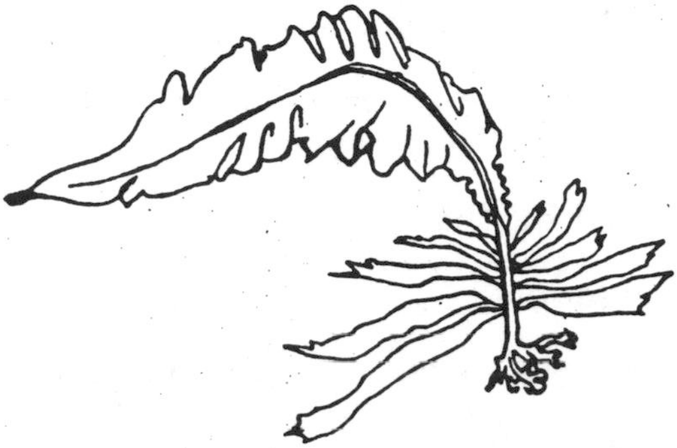

L'alaria esculenta contient 0,15 microgrammes / gramme de vitamine B 12

- des glucides : le mannitol (stimulant hépatique, légèrement laxatif), la laminarine, l'agulose.
- des matières grasses
- de la chlorophylle : composé organo- magnésien qui permet aux algues d'absorber l'énergie lumineuse pour fabriquer les substances assimilables.
- des mucilages (plus ou moins denses selon les espèces) constitués de gélose, galactane, d'algine, (Fucus, Carragheen, Agar-agar)
- des substances antibiotiques (il est à noter que l'on retire de la pénicilline des algues)
- des phytohormones (auxines, gibberelines, cytokinines, abcissines) facteurs de croissance, et anti-vieillissants.

Selon le Dr. J.V. Wachter (« Secret of the Sea ») ce n'est pas l'abondance de calcium, le nombre de mmg de phosphore ou de sodium ou Chlore, ou Silicium, etc... mais plutôt leur arrangement et leur proportion naturellement construits dans les algues qui est le plus important.

Les minéraux « chelates », c'est-à-dire combinés naturellement aux acides aminés sont plus directement assimilables par les villosités de l'intestin grêle avant passage dans le sang.

Il démontre également les effets bénéfiques des combinaisons d'algues, pour un effet synergique.

PROPRIÉTÉS

Historique :

En Chine, 3 000 ans avant J.C., on traitait les goitres avec les fucus et laminaires (traité de l'Empereur Chinois Shen-Nung).
L'Antiquité célébrait la Mer à l'égal des Dieux. César y faisait baigner ses soldats pour tremper leur force.
Au XVIème siècle on utilisait les applications d'algues pour des accouchements prématurés.
Au XVIIème siècle, traitement des goitres par laminaires et fucus.
Au XVIIIème, en Irlande, les algues étaient utilisées dans le traitement des maladies pulmonaires (voie interne).

Dans son journal l'Océan-Sérum, M. Oliviero rapporte qu'un trois mâts norvégien pris par la tempête s'étant réfugié dans l'estuaire du Trieux, près de l'île bretonne de Bréhat, dès qu'ils le purent, les membres de l'équipage descendirent à marée basse et firent ample provision de laminaires. Aux riverains intrigués, ils répondirent : « Nous mâchons ces algues, nous en absorbons le suc vert et rejetons le ligneux. Trois mois de mer nous ont épuisés, les aliments frais nous manquaient à bord et le scorbut commençait à faire ses ravages. » L'expérience de leurs devanciers et la leur les avait instruits des vertus de la chorophylle des laminaires.

Plus près de nous, dans son livre « Naufragé volontaire », A. Bombard relate ses expériences avec le phytoplancton qu'il recueille au filet afin de pallier son manque de végétaux frais.

L'homme a toujours recherché à partir du milieu qui l'entourait des moyens de remédier à la dégradation de cet état physiologique normal qu'on appelle la « santé ». Il est donc normal que le milieu marin qui cer-

ne de toutes parts les terres émergées complète l'arsenal thérapeutique ou alimentaire que l'humanité s'est efforcée de produire à partir des plantes ou des animaux terrestres.
On ne peut présenter les algues comme une panacée universelle, d'autant qu'il subsiste encore beaucoup d'inconnues. Cependant, eu égard aux expériences du passé, aux nombreuses recherches et à ce qui a été constaté au cours de ces dernières décennies, il est possible d'affirmer cependant qu'elles sont tout à fait capables de corriger certains troubles.

Les sels minéraux, l'iode, les oligo-éléments, les vitamines et pro-vitamines, peuvent provoquer, par ingestion, une stimulation du métabolisme général, de tous nos échanges chimiques internes, l'accroissement des échanges osmotiques (c'est ici que leur emploi dans l'obésité est intéressante par voie interne et externe) et l'élimination des déchets.

Tous les processus se retrouvent lors de l'utilisation externe par la pénétration transcutanée de ces éléments bio-actifs. On peut résumer les propriétés générales des algues ainsi :
— stimulants des échanges et des glandes endocrines,
— antisénescents,
— rééquilibrants et « correcteurs de terrain », notion importante en phytothérapie.
— renforçateurs des défenses naturelles,
— reminéralisants,
— stimulants circulatoires,
— amaigrissants par rééquilibre du terrain,
— stimulation des échanges, osmotiques ou généraux et trompe-faim,
— antigoitreux.

Ce qui veut dire que les indications médicales qui découlent de ceci sont :
— Lymphatisme, ganglions, rhino-pharyngites à répétition
— prédispositions générales à la maladie
— fatigue générale
— anémies légères
— séquelles de convalescence
— manque d'appétit
— puberté
— petits troubles thyroïdiens
— inadaptation aux villes
— allergies diverses.

Pour l'adulte :
— fatigue générale
— syndrome « fatigue-nervosité » si fréquent

- troubles nerveux, nervosisme
- déminéralisation
- convalescence qui traîne
- sénescence avec ses troubles associés
- certains troubles de la ménopause
- rhumatismes dégénératifs (arthrose)
- arthritisme
- obésité et cellulite
- lymphatisme
- rhyno-pharyngites chroniques
- séquelles de fractures

LES ALGUES DANS L'ALIMENTATION

Beaucoup d'algues sont comestibles, c'est-à-dire ne renferment pas de substances vénéneuses (on peut cependant faire des réserves pour certaines algues unicellulaires).

Peu utilisées dans les pays européens, elles constituent depuis longtemps la base de l'alimentation dans des pays comme : Chine, Japon, Philippines, Iles Hawaï.

Au Japon, les algues constituent plus de 20 % de l'alimentation quotidienne, et sont préparées sous les formes les plus variées.

Certaines espèces font l'objet d'une culture intensive. Par exemple, la Porphyra tenera. Lavée à l'eau douce, puis séchée, elle est consommée sous le nom de « Nori », dont le plus renommé est le Nori de Tokyo « Asakunori » du nom du village de pêcheurs où se fait la récolte. On le vend partout, dans les rues, les gares, comme les sandwiches aux États Unis. En effet, sur une feuille de Porphyra on étale du riz bouilli que l'on recouvre de viande ou de poisson. Le tout est roulé pour être débité en tranches. On en utilise aussi dans les soupes, sauces, etc... La masse mucilagineuse qui est retirée est consommée sous le nom de Kanten en baguettes minces ou balles grossières qui se gonflent dans l'eau froide.

Les frondes de laminaires, laminaria Japonica, religiosa, etc... sont utilisées sous le nom de « Kombu », au Japon et en Chine, jusqu'en Californie, sous toutes les formes, dans les potages, sauces, mélangées au riz. On fait également du thé de kombu.

Une autre laminaire que les Japonais appellent « Kan-Hoa » est renommée pour ses propriétés aphrodisiaques, c'est l'espèce Laminaria saccharina, nommé communément « ceinture ou baudrier de Neptune ».

Au Chili, on mange de la bouillie d'algues avec de la crème fraîche légèrement réchauffée.

Depuis des siècles les Islandais font entrer pour une part importante dans leur alimentation une algue rouge le « Soï » ou Rhodymenia palmata, ainsi qu'une algue brune, une laminaire, Alaria Esculenta.

Chez les Allemands et Autrichiens, on peut trouver l'« Algenbrot », un pain aux algues.

On a retrouvé en Bretagne, d'anciennes recettes de « salades d'algues » ainsi que des « kombu » en pickles dans la région de Calais et de Breck-Plage.
Le gâteau d'algues est connu comme étant une spécialité de la petite île de Houat au large du Morbihan.

En Europe et aux États-Unis, certaines algues ont été ou sont localement utilisées comme salades ou condiments : Ulva lactuca, Porphyra et Rhodymenia palmata.

Dans le domaine alimentaire, les Européens commencent à trouver des algues à l'état brut, principalement des japonaises (kombu, Wakamé Nori, Isiki) (voir ci-après, caractéristiques et applications) qui se préparent de différentes façons. On en trouve dans certaines maisons de régime et elles sont servies également dans certains restaurants macrobiotiques. En effet, actuellement, les consommateurs d'algues brutes sont encore majoritairement des adeptes de la macrobiotique*.

KOMBU, IZIKI, WAKAMÉ, NORI

Ce sont les quatre algues importées du Japon. Pourquoi du Japon ? Nous avons aussi dans nos mers des algues de valeur, mais il serait extrêmement coûteux de les faire récolter en France, comme cela se fait encore dans ce pays d'Extrême Orient - Japon - terre des contrastes les plus violents, où l'on trouve encore une population rurale fidèle à ses traditions, des gens sobres et simples, dont beaucoup doivent leur subsistance aux petites manufactures de produits macrobiotiques, tels ceux qui, pêcheurs chevronnés de père en fils, récoltent les algues marines.

Selon « LIMA », ces algues sont récoltées en dehors des zones de pollution (le Japon ayant une fâcheuse réputation à ce sujet), rigoureusement sélectionnées et soumises à de fréquentes analyses.

* *Macrobiotique : régime alimentaire découlant d'une philosophie globale de vie théorique et pratique fondée sur la conception orientale de la complémentarité des contraires « Yin » et « Yang ».*

Au Sud de la Bretagne, on expérimente actuellement des techniques de récolte. Peut-être sera-t-il possible de présenter, sous peu, des iziki et des kombu de chez nous ?

IZIKI (Cystophyllum Fusiforme) *

Pousse dans les mers chaudes comme des buissons ou de petits arbres. On récolte en bateau : les algues sont détachées au moyen de couteaux fixés au bout de longues perches, amenées à bord et déchargées sur la plage où on les fait sécher au soleil. L'iziki a l'aspect de brins d'herbe noirs et durs. Il pousse à plus grande profondeur que les trois autres algues et possède la plus grande teneur en minéraux et oligo-éléments (34 % !). Elle est très populaire au Japon où on la consomme quotidiennement. On l'y considère comme un aliment de jouvence. L'iziki fait baisser le taux de cholestérol. Il est recommandé aux femmes enceintes.

KOMBU (Laminaria Japonica) *

Se récolte à l'Extrême-Nord du Japon, dans les courants froids au large de l'île d'Hokkaïdo. C'est une grande algue dure. D'après la médecine macrobiotique, elle regénère et rajeunit. On la recommande en cas de sclérose, arthrite, hypertension et hypotention, paralysie, déséquilibre glandulaire (entre autres de la Thyroïde) et en général toutes les maladies de civilisation.

WAKAMÉ (Alaria Esculenta) *

Pousse dans les courants chauds comme l'iziki et se récolte de la même manière. C'est une algue connue pratiquement dans le monde entier. On lui attribue des propriétés bienfaisantes pour les cheveux, les ongles, la peau et le foie.

NORI (Porphyra Tenera) *

Ressemble à de l'herbe flottante. On le cultive sur des cadres de bois, en eau peu profonde le long des rivages de petites baies et anses calmes. Après la récolte, il est séché sur des claies de bambou et comprimé en feuilles minces. C'est l'algue la plus riche en protéines.

* *publié par LIMA, Nouvelles N. 23. Les algues marines.*

QUELQUES PRÉPARATIONS

La poudre d'algues peut être parsemée sur les aliments comme un condiment.

Certaines algues peuvent se consommer crues (après un long trempage par exemple). D'autres ont besoin d'être cuites pour une meilleure digestibilité, ce qui par ailleurs peut détruire certaines principes actifs ou vitamines.
L'aspect, le goût des algues peut rebuter, bien que certaines soient délicieuses.

Il est possible au début d'ajouter un morceau d'algue à la cuisson des légumes, viandes ou légumineuses.

Les Kombu, Wakamé, Mousse d'Irlande, Fucus, se font aussi grillées à feu doux jusqu'à ce qu'elles soient cassantes. Elles sont ensuite pressées et passées dans un moulin.

L'idéal pour le séchage serait de confectionner un séchoir solaire à basse température.

Elles peuvent être utilisées en gelées, ou confites dans le vinaigre ou le sucre.

Condiment de Nori

Ingrédients :
4 feuilles de Nori
5 cuillères à café de sauce de soja
1/2 litre d'eau

Griller 4 feuilles de Nori sur une plaque diffuseuse. Les émietter et les mettre à tremper dans un bon demi litre d'eau pendant 1/2 heure. Ajouter 5 cuillères à café de sauce de soja et cuire jusqu'à l'obtention d'une bouillie (5 à 10 mn).

Utilisation :
pour les salades, pâtes, etc...

Salade de Wakamé

Ingrédients : (pour 1 personne)
- 10 cm d'algues Wakamé
- 4 à 5 tranches de concombres
- sel
- 1 tranche d'oignon
- persil
- ciboulette
- sésame

Cuire rapidement les wakamé (10 mn).
On peut également pour les garder croquantes, les ébouillanter seulement quelques minutes ou les utiliser quelquefois crues. Dans ces deux cas retirer la nervure centrale.
Couper assez fin et disposer dans une coupelle avec le même volume de concombre (préalablement dégorgé avec du sel pendant une heure) de l'oignon coupé en cubes fins, du persil ou de la ciboulette.
Si l'oignon est trop piquant, une fois coupé le mettre à tremper dans un peu d'eau (2 à 3 mn) puis égoutter, sécher dans un linge et incorporer à la préparation.
Mélanger intimement chaque ingrédient. Laisser reposer 1/2 heure à 1 heure et servir. Assaisonner avec du condiment sel, sésame ainsi que du persil.

Salade de pousses de soja

Ingrédients : (pour 1 personne)
- 1/2 tasse de germe de soja
- 1/2 cuillère à café de sauce de soja
- condiment de Nori à votre convenance
- 5 à 7 gouttes de citron
- 1 pointe de couteau de gingembre râpé
- graines de sésame à votre convenance
- 1 cuillère à soupe de fromage blanc

Faire sauter avec 2 cuillères à soupe d'eau additionnée de sauce de soja ou de sel, vos germes pendant une minute, incorporer un peu de condiment de Nori, puis servir en salade avec un peu de fromage blanc fouetté avec quelques gouttes de citron.
Rehausser si nécessaire la saveur avec du condiment de sel, sésame, nori.
Au printemps, utiliser le citron et à l'automne une pointe de gingembre frais râpé. En hiver, la saveur salée doit être la plus soutenue.

Omelette aux algues

Ingrédients :
Oeufs suivant votre convenance
algues un tiers du volume de l'omelette

Râper le gingembre de façon à recueillir une bonne cuillère à café de jus (proportion pour 3 œufs) que vous incorporerez aux œufs avec un peu d'eau. Battre ensemble.

Les algues propices à ce plat : Wakamé, Dulce, Porphyra crues, ébouillantées quelques minutes ou cuites selon votre goût personnel.

Puis procéder comme pour une omelette classique.

Consommé de base
(bouillon à tout faire)

Ingrédients :
10 cm d'algue Kombu pour 1/2 l. d'eau
1 branche de thym
1 petit oignon
1 champignon

Porter à ébullition quelques minutes des algues (trempées avec de l'eau au moins 1 heure) avec suffisamment d'eau dans laquelle vous ajouterez : thym, oignon haché et champignon.

Dans cette base de bouillon vous pouvez concevoir toutes sortes de garnitures de votre choix, y compris pour les sauces en évitant ainsi d'utiliser l'eau plate du robinet. Vous pouvez également remplacer la Kombu par la Wakamé ou la Dulce.

Sauté d'oignons-Iziki

Tremper les algues une bonne demi-heure. Les faire cuire avec une petite tranche de pomme et un peu de sel.
Faire sauter les oignons et champignons jusqu'à ce qu'ils soient dorés.
Verser les algues précuites par dessus et faire mijoter ensemble jusqu'à ce que les oignons soient fondants. Assaisonner. Servir.

Peut servir également comme garniture de tarte de légumes.

Sauté de Dulce

Rincer les algues si nécessaire.
Disposer dans une casserole, au fond des harengs fumés demi sel coupés en lanières, puis les algues, pommes de terre coupées en tranches et une tasse d'eau.
Faire mijoter jusqu'à ce qu'il n'y ait plus de liquide et que l'ensemble soit fondant. Additionner de radis noir râpés. Servir.

Crème de pruneaux

Faire tremper 500 g de pruneaux et les porter à ébullition dans l'eau 3 minutes.
Dénoyauter, mouliner, ajouter 2 cuillères d'arrow-root (fécule) délayée.
Cuire quelques minutes.
Ajouter de l'agar-agar (gélifiant) trempé avec son eau de trempage. Cuire en remuant au fouet 5 minutes.
Mettre dans des coupes. Laisser refroidir. Servir.

(recettes tirées du fascicule de Guy Balahy) — « Les algues dans votre alimentation »)

LEXIQUE :

Arrow-root : fécule tirée d'une racine, à caractère désacidifiant et de grande digestibilité (très pratique pour accommoder les fruits en compote).

Gingembre : racine ressemblant à un rhyzome d'iris. Goût piquant. Très aromatique et selon la Médecine d'Extrême Orient stimule la fonction des poumons et des intestins.

Agar-agar : gélifiant extrait de différentes algues rouges. Possède une action tonifiante sur les intestins.

Dulce : mousse d'Irlande, algue de 20 à 60 cm environ, rose, très ferme, à cuisson rapide : 5 à 10 mn.

Isiki : algue filiforme, noire, très riche en minéraux, goût assez fort. Réputée au Japon pour son action sur la chevelure.

Nori : algue violette très petite rappelant vaguement la laitue par sa texture. Présentée sous forme de feuille reconstituée rectangulaire que l'on grille sur une plaque diffuse. Très riche en calcium.

Wakamé : algue très découpée de couleur vert foncé. Cuit très rapidement, d'aspect moëlleux, fondant, très riche en vit. B12.

Kombu : algue en lanière très longue vert foncé à brun. Longue à cuire (1 heure et plus). Riche en iode et vit. B12.

APPLICATIONS

En alimentation

Parmi les multiples applications, l'homme contemporain s'est enfin décidé depuis 1940 à appliquer à l'alimentation humaine les merveilleuses propriétés des algues.

Après certaines étapes de transformation les conduisant au stade d'une poudre blanche, on les trouve employées en tant que gélifiants dans les confiseries gélifiées, les enrobages de viandes et poissons, les desserts laitiers en poudre (flans), les desserts laitiers frais ou pasteurisés. Elles sont épaississantes du lait, des sauces et condiments. Elles stabilisent les glaces au lait et à l'eau, les crèmes pâtissières, les sauces, les préparations surgelées, produits instantanés, fromage frais, yaourts, desserts, jus de fruits, etc... insoupçonnables à l'œil nu, elles contribuent à fournir à tous les produits une meilleure texture, un aspect plus agréable. Elles sont très assimilables et ne constituent aucun danger ou problème digestif pour l'organisme (d'après des recherches approfondies de l'I.N.C.).

En médecine

Le « chou de mer », Laminaria Japonica. Ses propriétés sont connues en Russie depuis un certain temps comme réducteur du niveau du cholesterol (expérimentation sur des rats).

Des constatations ont été faites notamment sur la variété Sargassum qui produirait une substance bactéricide.

La chromatographie indiquerait que les effets antibactériens constatés sur les algues particulièrement les laminaria Japonica seraient dues à leur contenance en chlorophylle (Dr. V. Wachter).

Certains chercheurs sont parvenus à extraire certaines substances comme l'halosphaérine (antibiotique), l'acide cyanique (vermifuge) et enfin l'acide alginique.

Les alginates auraient en effet la propriété de prévenir l'absorption intestinale du stromtium radioactif. Ils formeraient une sorte de gel strontium-alginate qui est ensuite éliminé par les fèces sans dommage pour l'organisme*.

D'autres algues - l'Enteromorpha intestinalis et la Cladophora rupestris - absorbent les substances radioactives. Sorte de baromètre de la radioactivité marine, elles peuvent servir à contrôler le taux de contamination là où elles se développent.

Enfin des polysaccharides, toujours extraites d'algues, agissent sur les intoxications par certains polluants métalliques. Des rats ayant absorbé en laboratoire des doses massives de baryum, cadmium ou zinc ont survécu grâce à l'administration de ces produits.

Des substances issues du Chondrus Crispus se sont révélées très efficaces contre les affections gastro-intestinales.

En chirurgie, les laminaires sont chargées de la dilatation des trajets fistuleux et du col de l'utérus.

Dictyopteris polypodioides sur les rives méditerranéennes serait utilisée pour la scrofule.

Sargassum bacciferum en Amérique du Sud (goitre et maladies rénales).

Rhodymenia palmata depuis le 18ème siècle en Angleterre pour les fièvres.

Hypnea nidifica, Iles Hawaï, pour les troubles gastriques.

Alsidium Helmintocorton, « Mousse de Corse », serait utilisée en vermifuge.

Sargassum linifolium en Inde dans les troubles de la vessie.

Delesseria sanguinea a un pouvoir anticoagulant aussi puissant que l'héparine.

En homéopathie, on trouve de nombreuses préparations à base d'algues où l'on retrouve les fucus, cladophora rupestris, cystoseira fibrosa.

* *d'après les travaux de l'Université Mac Gill d'Irlande.*

Des suppositoires, des emplâtres pour brûlures sont fabriqués à partir de l'agar-agar.

Des tampons de laine de coton trempés dans une décoction de carragheen fournissent des cataplasmes remplaçant la farine de lin.

L'algine et l'agar-agar servent dans la confection des pilules et pastilles. L'algine en particulier, non attaqué dans l'estomac, permet d'enrober les médicaments destinés à agir dans l'intestin.

En dentisterie, l'algine sert à faire une pâte employée pour prendre les empreintes. Entre également dans la préparation de crèmes, savons, dentifrices.

A partir de l'agar-agar et du Carragheen des hémostatiques ont été obtenus. Le carragheen est également administré pour les irritations du tube digestif, la dysenterie, tandis que l'agar-agar sous différentes manières est destiné à la régulation de l'intestin.

macro-photo
photo Arzal

LES ALGUES EN COSMÉTOLOGIE

On sait depuis longtemps que la peau n'est pas une barrière totalement infranchissable aux éléments qui la baignent, rappelle Marie Mauron (« La mer qui guérit »).

Les travaux réalisés en France à Bordeaux et Granville semblent avoir démontré, à l'aide de traceurs radioactifs, qu'une proportion notable des ions marins traversent la barrière cutanée pour aller se fixer sur certaines parties du corps dont ils favorisent la remise en état. Cette perméabilité relative aux ions marins s'ajoute aux effets toniques et et stimulants de l'eau de mer. Eau de mer et algues ont tout d'abord été utilisées sous forme de bains bouillonnants, cataplasmes, dans le traitement de la cellulite et l'obésité. Ces soins ne peuvent être efficaces que s'ils sont accompagnés de régime et d'exercice, comme pour tout autre principe.

Par ailleurs, les récents travaux du Professeur Augier (UER) des Sciences de la mer mettent en relief leurs véritables propriétés et principes actifs.

Grâce à leur ensemble de substances de croissance, d'apports de vitamines, d'oligo-éléments, les algues agissent profondément sur la multiplication cellulaire, la régularisation des éléments nutritifs, les échanges, la circulation sanguine, la désintoxication.

Elles assurent une meilleure défense, agissent sur les parasites et diminuent les risques de contamination.

Dans le domaine cosmétologique, par exemple, on peut attendre des résultats étonnants de certains traitements par l'algothérapie* dans des domaines aussi variés que :

* *Selon les données d'un Institut d'algologie.*

- chute des cheveux
- séborrhée
- acné
- ongles cassants
- couperose
- jambes lourdes
- développement et raffermissement de la poitrine
- cellulite - obésité
- rajeunissement de la peau.

Les thérapeutiques sont variées : crèmes, masques, cures, bains, etc...

Les bains

Ils agissent par leur thermicité. Dans l'eau chaude, l'organisme se détend, se libère de ses toxines par la sudation activée, elle permet la transminéralisation (c'est-à-dire le transfert des éléments des algues dans le corps humain). Selon la loi de Van T'Hoof*, l'augmentation de la température provoque une accélération des réactions chimiques.

Dans le cas d'une vaso-dilatation sous-cutanée générale, sous l'influence d'un bain au delà de 37° C, on assiste à un véritable déblocage de l'immense réseau capillaire de l'organisme (qui est de 100 000 kms). Le déficit de l'oxygénation des tissus peut s'installer au cours de l'activité habituelle de l'homme. 1/20e seulement de ce réseau capillaire est fonctionnel, 19/20e ne sont qu'exceptionnellement mis en jeu au cours d'un exercice physique intense, d'un froid vif et bref (action d'une douche chaude ou froide, sauna, ou au cours d'un bain de chaleur).

La pénétration par osmose des principes nutritifs est facilitée par la vaso-dilatation (une trop forte concentration saline inhibe la pénétration).

Les bains d'algues sont recommandés aux personnes souffrant de : déminéralisation, obésité, vieillissement, fatigue chronique, cellulite, rhumatisme, anémie.

Les algues utilisées doivent être naturelles et en quantité suffisante. Pas de résultat sans un minimum de 25 à 20 bains.

* *Chimiste néerlandais : Prix Nobel de Chimie 1901.*

Durée : 10 à 25 mn environ. Ils doivent être progressifs en température et en durée et varient sous ces aspects en fonction du but recherché :
défatigant / désintoxicant
tonique / stimulant

Après le bain, se doucher rapidement à l'eau froide (insister sur jambes et poitrine) puis repos au chaud.

Précautions ou contre-indications pour les cas suivants :
- hyperthyroïdie
- varices
- hypertension
- femmes enceintes
- périodes menstruelles

Les bains peuvent utiliser d'autres composants que les algues, par exemple les huiles essentielles, essences végétales, selon les cas à traiter. Ils peuvent être agités, dynamisés par insufflation d'air (effet stimulant, meilleure répartition des éléments, relaxation, massage) qui combinent et additionnent leurs propriétés par synergie.

Les huiles essentielles ont une pénétration trans-épidermique ultra rapide. Les substances se diffusent rapidement dès qu'elles atteignent la circulation.

Utilisation d'algues vivantes sous formes de bouillie
(données recueillies auprès d'un Institut d'Algologie)

Il s'agit d'un procédé tout nouveau sur le plan mondial, ayant nécessité 7 ans de recherches et de mise au point.

Pêche : Les algues sont pêchées sur pied, dans les eaux brassées par de puissants courants de marée et immédiatement traitées à froid (–15° C) par passage dans des tunnels centrifugeurs, créant des zones de compression gazeuse (par utilisation de l'azote liquide) à fréquence ultra-sonore. Ce procédé entraîne un micro-éclatement total des cellules végétales qui libère alors tous les éléments, et en particulier la chlorophylle. Ce traitement permet de conserver intégralement à 90 % les vertus bio-dynamiques des composants des algues, pendant une période d'un an.

Vitamines : A, B, C, D, E.
Glucides, protides, lipides, acides aminés.
Minéraux : potassium, iode, soufre, magnésium.
Oligo-éléments : fer, zinc, cuivre.

Grâce à la finesse de l'extrait total, les algues se mettent en suspension dans l'eau et, provoquant une osmose activée, elles permettent à la peau et à l'organisme de puiser parmi la gamme variée des bio-éléments ceux qui reconstituent le potentiel énergétique vital des cellules.

Utilisation :

- en bain chaud d'osmose transcutanée
- en cataplasmes chauds modelés localement
- en masques revitalisants.

Les résultats seront une meilleure nutrition cellulaire, une meilleure auto-défense.

La cure d'algues en décoction

(élimine - équilibre - tonifie)

Dans les Instituts d'algologie, il s'agit d'un ensemble d'algues agissant en synergie, pour éviter les inconvénients du Fucus seul (riche en iode) peut être trop fort pour certaines personnes.

En principe, on prépare la veille 3/4 de litre d'eau froide pour 3 cuillères à soupe de cure. On fait bouillir 2 mn. Infuser 15 mn. Passer. Boire froid, 3 fois par jour.
Durée : 21 jours, pendant la cure adopter un régime pauvre en sel, et boire beaucoup entre les repas. Pour les femmes, commencer la cure après la période menstruelle.

On peut noter, selon les individus, les doses et la durée de cure :
- dépuration ou décontamination de la peau et de l'organisme
- normalisation et régulation
- revitalisation.

En 4 ou 5 semaines, dont 21 jours de cure régulière, avec régime si possible (effets variables selon les individus), il peut être observé certains phénomènes, comme par exemple :
- suppression des pellicules et chute de cheveux
- amincissement par fonte des graisses et desquamation des couches superficielles de la peau qui reprend sa souplesse
- réapparition de l'activité intellectuelle, de la vivacité et activité physique
- sensation d'avoir moins faim
- action digestive et reprise d'un transit normal
- suppression ou diminution des douleurs rhumatismales
- action sur la circulation
- action sur les ongles
- action régularisatrice sur cycle pertubé

sur le plan biologique :
- chute du taux d'acide urique et du taux de cholesterol.

Signes de surdosages d'une cure d'algues en décoction :
- accélération du pouls cardiaque
- diarrhée
- nervosité, insomnie

(il faut réduire les doses).

Dans certains d'hyperthyroïdie, affections cardiaques, tuberculose, il convient de ne pas utiliser les algues, soit en cures, soit en bains, où elles sont contre indiquées.

(données recueillies auprès d'un Institut d'Algologie).

LES ALGUES EN ALIMENTATION ANIMALE

Depuis longtemps de nombreuses combinaisons d'algues ont été utilisées en alimentation animale, ainsi que pour les soins.

Il a été rapporté l'exemple de bétail, moutons, paissant sur les côtes d'Irlande qui mangeaient avidement les algues rejetées par la mer ou détachées du roc.

Ce fait est courant en Norvège, Espagne et Laponie où la variété d'algues en cause a été dénommée « horse seaweed ».

Des recherches aux U.S.A. ont été menées sur la production de chinchillas, dans la nourriture desquels on incorporait des algues.

Les algues incorporées dans la nourriture des moutons induisaient une augmentation de leur toison. Pour le bétail, on a remarqué une production plus importante de lait et de meilleure qualité.

Des tests en Irlande pendant la seconde guerre mondiale indiquaient que les algues étaient plus valables que les pommes de terre pour la nourriture des cochons. Les chevaux également bénéficiaient d'une meilleure santé grâce à cet apport.

Il a été également rapporté les tests concernant la volaille à laquelle on fournissait une nourriture contenant des algues marines. Les œufs pondus étaient reconnus plus sains, au jaune plus doré et à la coque plus dure.

En France, les algues marines étaient complétement délaissées pour l'alimentation animale jusqu'à la première guerre mondiale, époque à laquelle, en raison du manque de fourrage, des expériences alimentaires à base d'algues pour les chevaux furent entreprises. Les résultats se montrèrent encourageants avec « Laminaria Flexicaulis » et « Fucus serratus ».

Par contre, la Norvège, l'Irlande, l'Écosse, la Nouvelle-Zélande, les régions côtières de l'Amérique du Nord et les pays d'Extrême-Orient en font un usage constant pour la nourriture des moutons, bovins, chevaux, porcs, soit à l'état frais, soit après lavage, séchage et qu'elles aient été comprimées. Les algues les plus abondantes les plus utilisées se trouvant parmi les Phéophycées : Laminaria, Fucus serratus, Fucus Vesiculosus, Ascophyllum, etc... et parmi les Rhodophycées : Rhodymenia palmata.

Des usines destinées à produire une nourriture, surtout à partir d'algues brunes, ont été édifiées en divers pays comme : U.S.A., Norvège, Danemark. Chaque industrie traite certaines espèces selon un procédé qui lui est propre et lance sur le marché, généralement sous forme de tourteaux, un produit commercial que les fermiers font entrer pour un certain pourcentage, dans le poids initial de nourriture du bétail.

Comparées au fourrage, avoine, pommes de terre, les quantités de glucides, lipides, protides, qu'apportent les algues sont généralement du même ordre ; elles offrent en plus des oligo-éléments et de l'iode propres à prévenir les maladies par carence.

UTILISATION INDUSTRIELLE

Dans ce domaine, on trouve surtout les algues brunes et rouges.

a) algues brunes : soude, potasse, iode.

Extraction de potasse et iode à partir de la soude de varech (substance solidifiée obtenue par refroidissement de la bouillie épaisse et grisâtre que donnent les algues par chauffage à haute température). Procédé détrôné, mais se maintenant en France, surtout en Bretagne et Normandie. Au Japon et aux États-Unis, les laminaires récoltées aux époques de haute teneur en iode sont traitées par un procédé plus moderne dû à Stanford, consistant en une carbonisation des algues permettant une production de sels d'iode et de brome.

Algine : découverte par Stanford en 1883. C'est le sel soluble de sodium de l'acide alginique. Ce dernier étant un glucide.

Ses propriétés ont permis des usages variés sous différentes formes : fabrication de peintures, apprêts pour textiles, fabrication du papier et du carton, imperméabilisation, fabrication des plastiques, linoleum, caoutchouc, vernis à bois et même fibres textiles artificielles.

b) algues rouges

Les membranes cellulaires de ces algues renferment des composés assez complexes pectiques qui donnent des solutions appelées géloses. Les produits obtenus par précipitation de ces géloses sont vendus sous deux formes : agar-agar et carragheen.

AGAR-AGAR

Connu au Japon depuis le milieu du XVIIème siècle.
Le procédé de fabrication de ce produit s'est étendu aux États-Unis qui utilisent surtout l'espèce Gelidium cartilagineum sur la côte Pacifique et Gracilaria confervoide sur la côte Atlantique ; cette dernière étant également utilisée en Australie.

L'agar-agar est utilisé par les laboratoires pour la culture de bactéries et champignons ; il sert également dans le collage des tissus, imperméabilisation des papiers et vêtements, pour clarifier les liquides, constituer des colles, donner du vernis aux cuirs.

Il peut entrer dans la fabrication des linoleum, des soies et cuirs artificiels, isolants, et en remplacement de la gélatine dans l'industrie photographique.

En alimentation : épaississant dans les crèmes glacées, gelées, pâtes de fruits. On le trouve aussi dans la fabrication des crèmes de fromage, moutarde, mayonnaise.

CARRAGHEEN

Ce nom est donné à la Rhodophycée - Chondrus crispus - et également à - Gigartina mamillosa - dont le mucilage complexe qu'elles donnent est couramment nommé Carragheen*. Il est surtout utilisé comme adjuvant alimentaire, fabrication de pâtes dentifrice et pour clarifier la bière.

Le gel carragheen contient sous la forme végétale facilement assimilable du Phosphore et du Calcium.

Les gels d'algues de plus en plus en alimentation tendent à remplacer la gélatine animale.

FUNORI

Presque exclusivement connu au Japon, et surtout extrait de l'algue rouge Gloiopellis furcata. Il est employé comme vernissant et durcissant, pour la cimentation des murs, des carreaux, décoration de porcelaine, etc...

* *En France, les 2/3 des algues transformées sont importées. Beaupte (Cotentin) se tient au 2ème rang mondial des producteurs de carraghénates.*

LES ALGUES EN AGRICULTURE

L'éminent algologue Paul Gloëss, écrivait un jour : *la terre s'appauvrit continuellement et devient de plus en plus déficiente. Elle s'appauvrit du fait des végétaux qui puisent en elle les éléments nécessaires à leur vie. Du fait que la pluie enlève de la terre, c'est-à-dire du sol arable, tout ce qu'elle peut en désagréger et dissoudre pour en charger les rivières et le déverser par elles, finalement dans la mer. Pour parer aux appauvrissements successifs de la terre, des végétaux et par eux, des animaux et de nous-mêmes, il faut lui restituer les éléments dont les végétaux et surtout la pluie la dépouillent.*

L'utilisation des engrais chimiques dans la production des fruits, légumes et céréales, entraîne des excès de potasse, d'ammoniaque, de plâtre et d'acide phosphorique qui perturbent l'équilibre naturel des aliments.

Les effets nocifs de l'agriculture moderne s'expriment de différentes façons dans l'économie corporelle : déminéralisation, décalcification et démagnésation (magnésium).

Les terres de culture sont appauvries en oligo-éléments, et nous nous trouvons donc dans l'obligation de combler nos carences alimentaires par la consommation de produits naturels non touchés par les engrais chimiques, insecticides et pesticides.

Les algues sont au cœur d'une formule d'engrais (méthode Lemaire-Boucher).

Quant au maërl, contenant abondamment de Calcium, Magnésium, oligo-éléments, il est entièrement issu du Lithotamniom calcareum et réputé comme rééquilibrant de sols.

Sans épuiser la terre comme les engrais chimiques, ces algues sont beaucoup utilisées en agriculture biologique, et en général pour le chaulage des terres siliceuses.

Les « plantes marines » aident les « plantes terrestres ».

Les facteurs trouvés dans les algues (auxines, gibberelines, cytokinines, etc...) dont on parle comme affectant la croissance d'une plante, semblent avoir des effets bénéfiques.

On a trouvé :
- effet sur la germination des graines
- augmentation de la contenance en chlorophylle
- plus grande résistance à la sécheresse et au froid
- meilleure conservation des fruits recueillis
- résistance aux parasites et insectes
- résistance aux maladies
- plus grande récolte

Il s'agirait d'un complexe synergique, la contenance naturelle de facteurs nutritifs en bonne combinaison, qui produirait les effets ci-dessus mentionnés.

En agriculture, la farine d'algue a été essayée vers 1960 sur les cultures d'agrumes (pamplemousse) et des produits dérivés des algues sur les cultures maraîchères (tomates) ou les pépinières de tabac aromatique. D'excellents résultats ont été constatés à l'époque.

Les algues ont également été utilisées comme litière, faisant, une fois séchées, office de paille. On peut également signaler leur odeur ayant le pouvoir de chasser la vermine.

Certaines algues bleues des eaux douces (Anabaena) ou même terrestres (Nostoc) sont capables de fixer l'azote de l'air à la manière des bactéries des nodosités chez les légumineuses. On a pensé à ce pouvoir qui permettrait d'augmenter le rendement du riz en cultures mixtes dans les rizières.

Le goémon*

C'est le goémon épave (celui que la mer rejette sur la grève) et qui ne demande aucun travail de récolte en dehors du ramassage qui est généralement utilisé.

Son emploi présente de grands avantages. Il n'apporte aucune semence étrangère, pas de larves d'insectes nuisibles. Il absorbe et conserve l'humidité, ameuble la terre en changeant de volume selon le gré d'humidité, il fournit au sol les mêmes quantités d'azote, plus de potasse, et moins d'acide phosphorique que le fumier de ferme ; il est donc avantageux pour les sols pauvres en potasse.

On a pu craindre que le goémon introduise une quantité nuisible de chlorure de sodium dans le sol, or il a été reconnu que les sols arables absorbent beaucoup plus de solutions potassiques que les solutions sodiques, et des analyses ont montré que pour le même taux de potassium les algues apportent moins d'ions Cl^- et Na^+ que certains engrais utilisés pour l'enrichissement du sol en potasse.

En France, le goémon est employé en Bretagne, dans l'Ile de Ré, Noirmoutiers, etc... où il permet la culture intensive de primeurs.

Il est enfoui dans le sol une fois par an, en très grande quantité et malgré sa grande rapidité de décomposition, on le laisse généralement fermenter avant l'emploi.

Il est également utilisé dans d'autres pays comme engrais : Irlande, Écosse, Angleterre, U.S.A., Japon, Canada, Danemark où dans ces deux derniers pays, il est mélangé à de la tourbe. En Angleterre, il est généralement mélangé à du sable. Aux États-Unis, il est la plupart du temps séché industriellement.

Les algues qui composent le goémon épave varient avec la végétation côtière, mais on trouve en général les grandes algues brunes, c'est-à-dire : Fucus, laminaires, Ascophyllum, pour les côtes européennes, Alaria, Macrocystis, Sargassum pour les côtes américaines.

* *Dénomination venant du vieux mot breton « gwémon ».*

Corynactis Photo Arzal

RECHERCHE

S'il n'existe pas encore de médicaments de la mer à proprement parlé tous les espoirs sont permis, car bien des recherches sont en cours.

Dans le secteur privé, de puissants laboratoires ont misé sur la mer. Depuis 1974, il a été créé un Institut de Recherches sur la Côte Australienne : 50 chercheurs y travaillent en collaboration avec les Centres universitaires d'Australie, Nouvelle Zélande, et les spécialistes locaux des côtes. Deux projets sont en cours PHARMOCÉAN du CNEXO (Centre National pour l'Exploitation des Océans), SNOM (Substances naturelles d'origine marine) regroupant le CNRS et l'ORSTOM.

Les biologistes de la mer ont fait cependant observer que malgré l'immensité des océans, la faune et la flore sont dans un équilibre écologique délicat. Chaque exploitation commerciale risque de devenir un problème pour l'environnement, notamment la cueillette d'organismes sédentaires en vue de l'isolation de produits actifs. Ce qui revient à dire qu'un besoin éventuel en grandes quantités d'une substance intéressante ne doit pas être couvert par les ressources naturelles mais par synthèse partielle ou totale. Ce qui laisse un doute sur l'activité des produits obtenus.

D'après la JAMA (Journal de médecine américaine), les produits de la mer pourraient combattre les maladies cardio-vasculaires !

L'acide eicosapentaénique (AEP) qui se forme au sein du phytoplancton. On le trouve dans le poisson, dans les huiles d'origine marine et parfois aussi dans les algues. Efficace contre certaines affections cardio-vasculaires, il pourrait notamment protéger l'homme contre la thrombose.

Tout a commencé avec l'observation de chercheurs danois sur les Esquimaux du Nord Ouest du Groeland qui se nourrissent prèsque exclusivement de poissons et produits de la mer et chez qui l'infarctus du myocarde est rare. On a trouvé une forte concentration en AEP dans le plasma et les plaquettes.

Il est encore tôt pour rendre systématique l'incorporation de ces acides gras d'origine marine, car il faut étudier les conséquences d'une utilisation prolongée à différentes posologies.

« L'Algue, pétrole des Bretons », un article des Échos du 26/04/82, relatait les qualités des laminaires et le lancement de produits nouveaux, la naissance d'une tradition gastronomique ayant pour centre la Maison des Algues de Paimpont (35), et l'ouverture d'un Centre de Recherches prochainement à Pleubian (22).

Huit millions de tonnes d'algues échouées chaque année sur les plages produisent une fois traitées 150 000 tonne de méthane. Or la Bretagne possède 800 espèces d'algues dont 100 sont vraiment importantes. Il y a le long de nos côtes 1 000 km2 de champs d'algues. Déjà des industries ont compris la portée d'une telle ressource. C'est le cas de la Société Goëmar de Saint Malo qui a inventé le broyage à froid (—50° C) conservant les principes actifs.

Grâce à des crédits nouveaux et à la levée des quotas de pêches, on assiste à la relance de l'activité des goémoniers en Bretagne.

Le procédé mis au point par Mme Martin Le Tribidic, pour l'utilisation des algues dans la gastronomie fait son chemin, d'autant qu'elle a la caution scientifique du Professeur Chassé de l'Université de Bretagne Occidentale.

Ce dernier a également soulevé le problème de l'alimentation animale. La farine d'algues a été victime des importations massives de soja, source importante de protéines, mais qui ne recèle pas autant de précieux sels minéraux et vitamines que les algues.

« Des algues contre la pollution ». « Utiliser le gaz carbonique sortant des raffineries pour cultiver des algues, régénérer les eaux et élever des poissons, c'est le projet d'un chercheur provençal, spécialiste de la biomasse aquatique...» pouvions-nous lire dans un article de B. Vilar sur l'Aquaculture, dans « Le Monde Dimanche du 22/06/80 ».

L'opération pouvait se résumer ainsi :

Il s'agissait d'utiliser le CO_2 rejeté par la Raffinerie de Lavera (Bouches du Rhône), l'eau tiède rejetée par une Centrale E.D.F. et récupérer les matières azotées contenues dans les effluents urbains et rejetées par les égouts. C'est la phase récupération-épuration. En outre, l'oxygène obtenu par la réaction sert à accélérer la bio-dégradation des hydrocarbures trouvés en milieu marin.

Comme biomasse, il parlait de spirulines, utiles également en alimentation animale, ou de macro ou micro-algues servant à produire des alginates ou des carraghénates, de « Botryococcus » (algue miracle pouvant produire 50 tonnes de pétrole par ha et par an), ou de « Dunalliella » pouvant produire la même quantité de glycérol.

Les cinq bassins imaginés par Claude Gudin (Chef du Laboratoire d'héliosynthèse) se décomposaient comme suit :

- 1er bassin d'eau très polluée où l'on cultiverait l'algue « Girgartina » (alginates)
- 2ème bassin de diatomées (phytoplancton servant à nourrir des animaux marins primitifs type bugula (chitine utilisée dans le textile)
- 3ème bassin où l'on cultiverait le phytoplancton ou zooplancton pouvant nourrir : crevettes, homards et poissons
- 4ème bassin de phytoplancton pour les mollusques (huitres, moules)
- 5ème bassin, phytoplancton. A ce stade ultime de l'épuration, le bassin servirait à l'élevage de : loups, bars, pouvant évoluer à l'ombre de macro-algues (alginates), et ce dernier bassin débouchant sur la mer.

Un bel exemple de recyclage et de détournement de pollution, qui relancerait l'économie et la pêche dans cette région, concluait l'article.

embryon
de Laminaire
Photo Arzal

RECHERCHES SUR LES ALGUES SPIRULINA ET CHLORELLA

En 1959, un article de vulgarisation, intitulé : *Depuis des lustres, une tribu primitive du Tchad exploite la nourriture de l'an 2 000* (Science & Avenir, N° 152, M. Y. Brandilly), donnait certaines indications concernant une ressource mal connue dénommée « dihé » par les indigènes - les Kanembou du Sud Kanem (Tchad).

Il s'agit, en fait, d'une algue bleue, Spirulina platensis, Cyanophycée de l'ordre des Nostocales, famille des Oscillatoriacées, récoltée dans un certain nombre de mares situées sur le littoral Nord Est du Lac Tchad.

Les femmes Kanembou, à l'aide de paniers en forme de pot écrèment la surface de l'eau où s'est formée une pellicule d'algues. Lorsque le récipient est plein, elles remontent sur la dune où elles ont préparé de petites escavations très peu profondes en forme de couvercle renversé. Elles y versent le contenu de leurs paniers. L'eau s'écoule dans le sable chaud qui, aidé par les rayons du soleil absorbe en un ou 2 jours la plus grande partie de l'humidité. Elles prélèvent ensuite les galettes auxquelles le sable à adhéré et les portent au village où elles finiront de se dessécher au soleil.

Les études ont révélé une valeur nutritive exceptionnelle. Le pourcentage en protéines dépasse 44 % et atteint parfois 50 % . Par ailleurs, son pouvoir de reproduction est énorme, il a été calculé qu'une surface cultivée en spirulina produirait plus de protéines que la même surface consacrée à l'élevage des bovins.

De fait, on a établi que si des populations du Sahel se nourrissaient exclusivement de mil à la sauce de dihé, accompagné d'une boisson fermentée comme le vin de datte, elles posséderaient tous les éléments d'une alimentation parfaitement équilibrée.

(Étude du CNRS, bull. N° 13, Fév. 74, de C. Bouquet)

En 1970, un rapport du Dr Hiroshi Nakamura, Président du Comité de Développement de la Spirulina au Japon, indiquait toutes les caractéristiques de cette algue planctonique microscopique (en spirale), les tests et différentes réalisations.

Ce rapport a été publié en 1978 dans l'excellent ouvrage, intitulé : « Food from sunlight »*, réalisé par le Dr Christopher Hills (Ph. D, D' Sc), Président de Microalgae International Union, et le Dr Hiroshi Nakamura (D. Sc), dans lequel sont également relatées les expériences faites sur les Chlorella et Scenedesmus (cf. p. 70 § sur « Scenedesmus »).

Il y a environ 25 ans des gens et Institutions incluant The Carnegie Institute et l'Université de Stanford entreprirent des recherches afin de savoir si dans le futur l'algue pourrait être utilisée comme nourriture. Des années auparavant, pendant la guerre, le Gouvernement Japonais entrepris de semblables recherches pour nourrir son peuple souffrant du blocus américain.

Toutes ces recherches vinrent au domaine public quand les responsables du programme spatial russes invitèrent le Dr Nakamura à étudier un système de production alimentaire pour une station lunaire et que la NASA rechercha une nourriture spatiale pour ses astronautes.

The Micro Algae International Union fut fondée en 1964 (originellement appelée Chlorella International Union). De nombreuses recherches, tests, techniques et méthodes de production furent mis en œuvre, ainsi que des voyages et essais sur le terrain, notamment dans les zones deshéritées.

La question principale n'était pas de produire de la nourriture, mais quelle nourriture et à quel coût.

La réponse est que les sols pauvres, les régions désertiques peuvent être ramenés à la vie grâce à la technologie de l'algo-culture.

Le livre qui relate ces expériences met la technologie entre vos mains afin que vous puissiez procéder à cette culture dans votre propre jardin, ou participer à de plus vastes systèmes de production. Cela ne demande pas plus, comme il est indiqué, que de l'eau, le germe de culture et certaines formes d'engrais.

* *Les produits de la vente du livre servant à financer des projets d'aide alimentaire aux pays défavorisés, par l'intermédiaire de l'algo-culture.*

Dioxyde de carbone et azote sont les nutriments requis pour nourrir l'algue. Ils sont ensuite convertis par l'énergie solaire.

L'algue purifie l'eau de ses impuretés ou polluants, en restant comestible. La fonction du rayonnement solaire est de purifier. Il convertit les déchets en plantes qui enrichissent l'atmosphère de leur oxygène et consomment le dioxyde de carbone rejeté par l'homme.

Les espèces indiquées dans ce rapport possèdent l'avantage de se reproduire à une vitesse fantastique et de s'adapter à une vaste gamme de conditions climatiques.

Les déchets animaux et humains sont utilisés, il y a donc économie d'engrais. La récolte peut être faite mécaniquement par filtration ou centrifugation, donc peu de main d'œuvre.

L'algo-culture, contrairement à l'agriculture, demande peu de terrain. Les bassins peuvent être construits à peu près partout. La croissance des algues est plus rapide que celle des plantes terrestres, par ailleurs plus difficiles à manipuler en raison de leur structure (racines, tige, feuilles). L'agriculture est également à la merci des éléments (cyclones, tempêtes, inondations), particulièrement violents dans certaines régions du globe.

Le problème de recyclage des déchets est également évoqué dans cet ouvrage. Le retraitement des déchets, eaux usées, etc... se fait par l'intermédiaire des bassins, le tout est ensuite converti en méthane.

Les algues peuvent également être séchées et brûlées comme fuel.

Comme on le remarquera, les avantages énoncés rendent l'algo-culture extrêmement profitable aux pays pauvres, et zones deshéritées.

Sans entrer dans le détail de construction des différents bassin, lacs artificiels, ou exploitation des mares, lacs, naturels existants y compris le lac Texcoco au Mexique où se trouve exploitée la Spirulina, on peut cependant résumer les principales caractéristiques de deux espèces étudiées, particulièrement intéressantes.

SPIRULINA

Il existe environ 30 espèces de Spirulina.
Parmi celles-ci, l'une a surtout été sélectionnée pour sa haute valeur nutritive, sa forte croissance, sa haute résistance aux microbes, et aussi parce que sa culture peut être contrôlée.

Autrefois, les Mayas du Mexique consommaient journellement la Spirulina sous forme de gâteaux, soupes, etc... Cette coutume ne s'est pas perpétuée chez le mexicain moderne, probablement depuis la culture du maïs. Mais elle a été retrouvée chez certaines tribus au cœur de l'Afrique, notamment au Tchad.

Sa multiplication par division cellulaire est très rapide.

Comme source d'azote, la Spirulina retient l'ammoniaque (comme pour la culture du riz), contrairement à la Chlorella qui retient les nitrates (comme pour le blé).

Les hautes températures lui conviennent bien, ainsi qu'une certaine alcalinité de l'eau - pH 10.5 à 11 (Lac Texcoco = pH 11).

La récolte se fait par filtrage, sans centrifugation. On peut, dans de bonnes conditions, espérer une récolte de 16 à 18 tonnes par an, par ha.

Fraîche, la Spirulina se détériore très vite et doit être rapidement consommée. Par contre, elle peut subir de très fortes températures pendant son séchage, sans que les enzymes en soient affectées comme celà est le cas pour les autres aliments. Elle peut ainsi se conserver longtemps.

Son goût est excellent - meilleur que celui de la Chlorella, et sa digestibilité très grande, supérieure à celle de la Chlorella (80 à 85 %).

C'est une algue primitive, de laquelle on peut espérer tirer des substances inconnues pouvant être utilisées en médecine. Déjà, certains ouvrages du Dr Hills mentionnent l'aide apportée par la Spirulina dans le traitement des hépatites, glaucomes et diabète.

Par ailleurs, sa contenance en protéines est très élevée :

Composition en matière sèche (%)
Protéines : 62 à 68 %
Glucides : 18 à 20 %
Lipides : 2 à 3 %

L'analyse montre que ces protéines contiennent en bonne proportion les acides aminés essentiels :

Acides aminés essentiels (g/100 g de protéines)	
Isoleucine :	6,03
Leucine :	8,02
Lysine :	4,59
Phénylalanine :	4,97
Tyrosine :	3,95
Total acides aminés soufrés :	1,80
Methionine :	1,37
Threonine :	4,56
Tryptophane :	1,40
Valine :	6,49

(Source : Institut Français du Pétrole : 1967)

Vitamine A (Pro-Vit. A)

Une cuillère à soupe de Spirulina (en poudre) contient 6 fois plus de vit. A qu'une carotte. Vous devez consommer 6 carottes pour égaler la contenance en vit. A d'une cuillère à soupe de Spirulina.

Vitamine B12

La Spirulina contient 2 fois 1/2 plus de vit. B12 que le foie. Une cuillère à thé contient 13,3 mcg de vit. B12.

Calcium

Gramme pour gramme, la Spirulina a environ la même contenance en calcium (en poids) que le lait.

Fer

Une cuillère à soupe pleine (20 g) de Spirulina contient 11,6 mg de fer, plus de 3 fois la contenance en fer d'un steak.

Phosphore

3 cuillères à thé de Spirulina contiennent 170 mg de phosphore, c'est-à-dire une fois 1/2 plus qu'un œuf.

Elle contient également une bonne proportion de Potassium, du Magnésium, Manganèse, Zinc, Selenium.

Les vitamines B1, B2, B6, PP, E, H, C.

Les lipides sont presque entièrement des acides gras essentiels insaturés. Elle contient peu de cholesterol.

Elle est riche en chlorophylle. On trouve aussi plusieurs pigments, carotène et xanthophylles.

Comme pour les autres algues, la Spirulina a donné d'excellents résultats en alimentation animale, et peut être utilisée pour d'autres applications : retraitement des déchets, contre la pollution, production de méthane, en chimie, pharmacie et cosmétique.

Où peut-on se procurer la Spirulina ?

En France, il est maintenant possible de trouver dans certaines maisons de régime de la Spirulina, en poudre, gélule ou comprimés. Elle est utilisée ainsi comme complément alimentaire, ou comme source énergétique. Aux États-Unis, au Mexique, on la trouve également sous cette forme, mais aussi en tablettes nutritives, dans lesquelles sont également incorporés : miel, pollen, gin-seng, lecithine, caroube, consoude, menthe, poudre de calcium et magnésium, très prisées par les sportifs.

SCENEDESMUS ACUTUS

La République Fédérale allemande a entrepris de développer au Pérou des expériences sur les possibilités d'application de la technologie des algues vertes unicellulaires, dans un but thérapeutique, notamment pour traiter les carences nutritionnelles graves des enfants.

Les bassins ont été installés à Sauzal, à 25 km de Casa Grande près de Trujillo, dans le Nord du pays. L'apport en CO_2 obtenu à partir des gaz industriels rejetés par une sucrerie stimule la multiplication cellulaire des algues, dont la teneur en protéines avoisine 50 % du produit sec. Dès qu'une masse suffisante d'algues s'est formée dans le bassin, on la pompe de façon continue, puis elle passe par une centrifugeuse, et est ensuite conduite vers un cylindre sur lequel elle est séchée. L'opération fait éclater les parois des cellules et rend les algues digestibles par l'homme. Selon le Directeur du projet, ces algues auraient une productivité très élevée (40 à 50 tonnes de protéines à l'Ha et par an - le soja ne donnant que 800 kg / ha /an -).

Parmi les avantages de cette culture, on peut noter que la production des algues est indépendante de la qualité du sol*.

CHLORELLA**

La Chlorella est une algue unicellulaire microscopique, classe des Chlorophycées, ordre des Chlorococcales.

Elle croît en eau fraîche, dans les lacs, mares, marais, sous forme de microplancton. Certaines variétés croissent dans les eaux usées contenant de l'humus, d'autres sur les troncs humides ou rochers, parfois dans les eaux saumâtres de régions littorales ou d'embouchures.

Il existe plusieurs variétés de Chlorella.

Elle se reproduit, par division cellulaire, à une vitesse fantastique, c'est-à-dire qu'elle peut se multiplier, sous des conditions optimales, 40 fois en 24 heures. On peut escompter une récolte, sur un hectare, d'environ 3 000 tonnes par an, surtout par les moyens artificiels, et dans les bassins fermés où le contrôle est constamment assuré.

La plupart des Chlorella croissent à une température moyenne de 16° à 32° C. Dans une eau plutôt acide (contrairement à la Spirulina) pH de 4,5 à 8.

Elle possède une forte résistance aux microbes et s'adapte à une assez grande variété d'environnement.

La plante entière est nutritive. Sa contenance en protéines est assez élevée :

Composition en matière sèche (%)

Protéines :	40 à 50
Glucides :	10 à 25
Lipides :	10 à 30

L'analyse montre que ces protéines contiennent en bonne proportion les acides aminés essentiels :

Acides aminés essentiels (g/100 g de protéines)

Isoleucine :	5,5
Leucine :	7,7

* *NEUMAIER (Thomas - « Le pain vert de l'avenir », Forum du développement, Genève, n° 62, mai 1980.*

** *A noter que cette espèce tend à être de plus en plus supplantée par la Spirulina.*

Lysine : 5,7
Phénylalanine : 4,1

Acides aminés soufrés
Methionine : 1,5
Threonine : 4,3
Tryptophane : 1,1
Valine : 4,9.

La Chlorella est également riche en vit. A (pro-vit. A) et en vitamines du groupe B.

Elle contient de l'ergosterol qui se transforme en vit. D dans le corps. De la Vit. C (fort diminuée au cours du séchage), la vitamine E, la vitamine B12. On trouve également : acide panthoténique, acide folique, biotine, choline, vit. K, inositol, acide nucléique, et les pigments : Chlorophylle, xanthophylle, carotène.

Le taux de digestibilité est supérieur à 90 % pour la jeune cellule de Chlorella, alors que celui de la cellule âgée est de 60 % . Un procédé (méthode de synchronisation utilisant la centrifugation - impraticable malheureusement en cas de production massive -) peut être utilisé pour séparer les jeunes cellules des cellules âgées dont les parois sont épaisses et dures.

En général, donc la Chlorella fraîche est plus facile à digérer que la Chlorella séchée au soleil (poudre sèche : 65 % taux de digestibilité). Blanchie (c'est-à-dire mise dans l'eau bouillante pendant 2 à 3 mn), elle voit son taux remonter à 80 % , ou légèrement fermentée (avec bacilles de l'acide lactique).

On peut donc trouver là un excellent complément alimentaire. Elle peut être ajoutée aux biscuits, pain, farine, crèmes, nouilles, pickles, condiments, farine de céréales (pour enfants allergiques au lait).

Il a été reconnu qu'elle contenait des substances antibiotiques, d'où son utilité pour la purification des eaux usées, d'égouts, toilettes, etc...*

* *Les algues d'eau douce peuvent être cultivées dans les bassins d'oxydation des eaux d'égouts. Elles procurent de l'oxygène aux bactéries de la décomposition et en retour prennent le CO2, l'azote et les minéraux (Journal of Agricultural and Food Chemistry - 1953).*

Par ailleurs, des résultats probants ont été constatés en alimentation animale (volaille, bétail, etc.).

Tout comme pour la Spirulina, elle a fait l'objet de recherches pour d'autres applications industrielles, pharmaceutiques, et aussi comme source de fuel et d'énergie.

Outre le Japon, et les États-Unis, de nombreux pays ont procédé à des essais concernant les algues SPIRULINA et CHLORELLA, entre autres : Russie, Angleterre, Allemagne, Israël, Philippines, Tchécoslovaquie, Inde, Mexique, Jamaïque, Sud Corée.

Des souches de culture de SPIRULINA et CHLORELLA, avec méthode, peuvent même être adressées aux personnes intéressées (cf. adresse du Dr. Ch. Hills, en fin d'ouvrage).

Enfin, un fait rapporté par le Dr. Hiroshi Nakamura. Un philosophe japonais a vécu au Mt Hakone (près de Tokyo) en se nourrissant exclusivement, pendant 15 ans, de Chlorella et de Spirulina, cultivées dans son jardin, à partir de ses excréments décomposés (c'est-à-dire arrivés à une certaine maturation et transformés par les bacilles saprophytes)... « et il est toujours en parfaite santé », ajoutait-il à l'époque.

* *
*

Les déserts se créent à une vitesse supérieure à celle à laquelle nous pouvons agir pour les réhabiliter. Que pouvons-nous faire dans l'immédiat pour corriger nos erreurs et celles de nos ancêtres, pour endiguer les famines dans certaines parties du globe particulièrement desheritées, pour capter l'énergie gratuite, éviter le gaspillage ?

La culture des algues (l'« or vert » des japonais) à grande échelle inaugura-t-elle un nouvel âge de l'agriculture sans ferme et sans sol ?

C'est peut-être une des réponses qui peut être envisagée au problème, touchant aussi bien les zones desheritées que celui des pays développés se trouvant confrontés au phénomène pollution (air, eau, sol), responsable en grande partie de la détérioration de l'environnement et de la baisse de qualité de ses ressources. Parce que nous ne savons plus restituer à la terre, sous une forme naturelle, ce que nous lui prenons. Ici, encore, les algues peuvent jouer un rôle important.

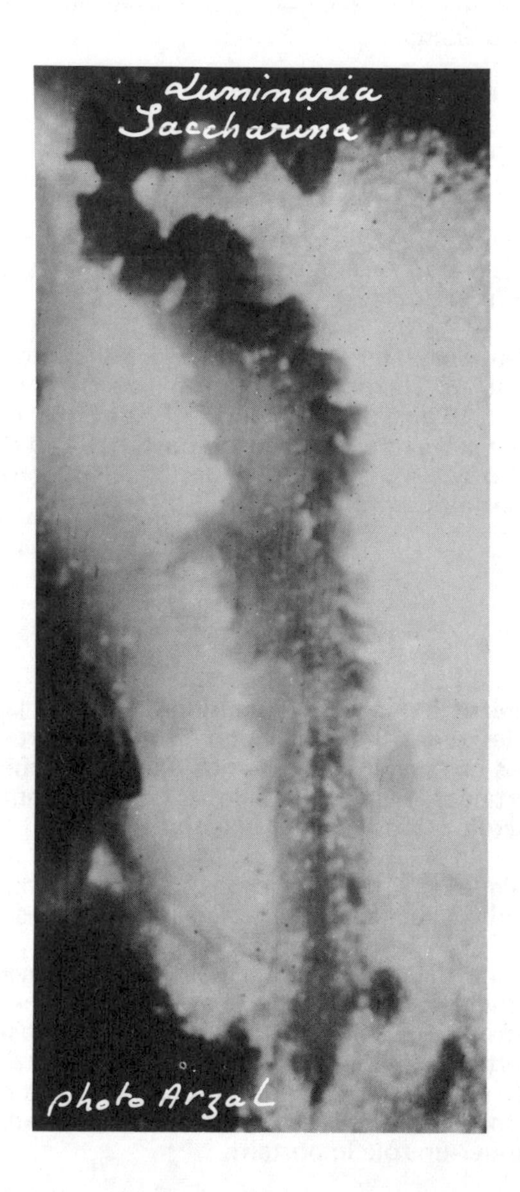
Luminaria
Saccharina
photo Arzal

QUELLES SONT LES ALGUES UTILISÉES ? OU PEUT-ON LES TROUVER ?

Si vous n'avez pas la chance de pouvoir les pêcher vous-mêmes*, il est cependant possible de se procurer des algues marines brutes destinées à l'alimentation. Celles que l'on trouve dans les maisons de régime sont principalement des algues d'origine japonaise (Wakamé, Kombu, Nori, Iziki).
Il est également possible de trouver :

— *Farine d'algues pour alimentation*

Composition : Ascophyllum micro-éclatée - tamis 400.
Complément de choix pour l'alimentation de base en mélange avec la farine de blé. Par exemple, mélanger 250 g de farine de blé avec une cuillère à café d'algues.
En saupoudrer également les aliments comme aromate.

— *Pour enveloppement et masque*

Composition : laminaire micro-éclatée - tamis 400
Délayer la farine des laminaires avec de l'eau froide. Utiliser en masque, enveloppement ou cataplasme.

— *Boisson d'algues marines*

Composition : Fucus concassé rigoureusement sélectionné
Mode d'emploi : en décoction.

* *en respectant les réglementations.*

— *Les boues marines*

Les boues marines proviennent d'algues calcaires et de sédiments récoltés sur les fonds marins. Elles sont riches en Calcium et Magnésium.

Appliquer la pâte qui a été enveloppée et chauffée directement sur la partie du corps à traiter.

Il est possible également de se procurer dans le commerce (pharmacies, maisons de régime, etc...), des comprimés ou gélules d'algues*, ainsi que des gels pour bains, douches, savons, shampoings, masques, crèmes, et lotions à base d'algues.

Et pour ceux qui ne peuvent ou ne veulent se soigner à domicile, il existe de nombreux centres de soins, d'algologie, de cure, de thalassothérapie.

* *Y compris Spirulina.*

OU PEUT-ON S'APPROVISIONNER EN ALGUES ?

Algues alimentaires

LIMA
9830 - St Martens Latem
Belgique
(Principal distributeur d'algues japonaises) que l'on peut trouver dans certaines maisons de régime, centres macrobiotiques.

Algues pour soins, compléments alimentaires, condiments, etc...

MADIA
7 à 13, rue de Tolbiac
75013 - Paris. Tél. : 583 77 27

ALGOLAUR
Domaine de la Palisse
34160 - St Gervais sur Mare
Tél. : (67) 23 61 30

René VAILLANT
Banque des Plantes Curatives
Lann Langroez
56270 - Pleomeur
Tél. : (97) 82 31 22

PURAL
15, rue Léon Blum
92130 - Clichy
(distributeur du Centre de Recherches et d'Applications de la Biologie Marine - 22706 - Perros Guirec)

Laboratoires PHYTOMER
BP 40
35404 - Saint Malo Cedex

Laboratoires C. GODEFROY
8, grande Rue
95460 Ezanville

NATURE ALGUES
22610 - Presqu'Ile l'Armor Pleubian
Tél. : (96) 22 85 35
Algues pêchées au large des côtes bretonnes

BIBLIOGRAPHIE
Ouvrages à consulter

FOOD FROM SUNLIGHT
Dr. Christopher Hills et Dr. Hiroshi Nakamura
P.O.Box 644
Boulder Creek
CALIFORNIA 95006 (U.S.A.)

SECRET OF THE SEA
Dr. Joseph V. Wachter
DUNLEAF ENTERPRISES
P.O. Box 151
Millbrae, CALIFORNIA 94030 (U.S.A.)

Marie MAURON
« La mer qui guérit »
Les Conquêtes de la Thalassothérapie
Éd. Du Seuil

P. GAYRAL
Algues des Côtes Françaises
Doin Éditeurs (1975)

LES ALGUES D'EAU DOUCE
P. Bourelly
Éd. Boubée

LIMA NOUVELLES N° 22 et 23
Edgar Gevaertdrecf 10
B — 9830 St Martens - Latem

LES ALGUES DANS VOTRE ALIMENTATION
Guy Balahy
Collection « Etre »
Édité par Gérard Graulle & Irys
26, av. Victor Hugo
75116 - Paris

LA SANTÉ PAR LA MER
Dr. Georges de la Farge
VIGOT Éditeurs (1961)

Je découvre les algues marines et d'eaux douces
Collection « Agir et connaître »
André Leson Éd. (1977)
J. Dejean Arrecgros et J.F. Pierre

LES ALGUES
E. et A. NAEGELÉ
« Que sais-je » P.U.F. (2ème édition 1967) épuisé

Cuisine pour une vie nouvelle
Hélène Magarinos
Éd. Debard

LES ALGUES, SOURCES DE VIE
Alain Saury
Éditions Danglés

THE SEA VEGETABLE BOOK
Judith Cooper Madlener
Clarkson - Potter New York

COOKING WITH SEA VEGETABLES
Sharon Ann Rohdds

A 45 km de Paris, dans un parc de 100 ha, le Groupe de Chamarande propose :

EN PERMANENCE

- une structure d'accueil, d'hôtellerie-restauration au service des associations, entreprises, organisations, individus pour des séminaires, réunions (80 chambres individuelles ou doubles avec ou sans salle de bains).
- un lieu calme, en pleine nature pour vos week-ends ou vacances.
- un ensemble de salles de 20 à 200 m^2 pour stages, conférences, réceptions, expositions.
- un programme de 50 stages de week-end ou de semaine pour les loisirs ou la formation permanente (santé, alimentation, artisanat, développement personnel, communication).
- des cours, entretiens, expositions selon un calendrier saisonnier.
- la maison de la récupération (papier, bouteilles, aluminium, plastique, huiles...).

SES NOUVEAUTÉS

La boutique propose toute une gamme de produits utiles ou agréables, choisis pour leur haute qualité :

- une excellente sélection de livres
- les productions artisanales du domaine (poterie, vêtements, peinture sur soie)
- les produits alimentaires, cosmétiques, diététiques de qualité biologique.

La Ferme-Ecole / Relais-Nature : à partir de l'automne, la ferme rénovée accueillera des groupes de jeunes à la journée ou pour plusieurs jours. L'activité agricole, de transformation, la nature diversifiée du parc, permettront à tous ceux qui y viendront d'acquérir une vision globale de l'ensemble du milieu vivant.

GROUPE DE CHAMARANDE - Château - 91730 CHAMARANDE

Téléphone : (6) 491.24.72 - (6) 491.24.54

Le Château de Chamarande.

QUELQUES RECETTES SUPPLÉMENTAIRES

WAKAMÉ

Wakamé - Oignon - Potiron

Tremper deux morceaux d'algues de 10 cm de long pendant 1/2 heure.

La découper en morceaux que vous déposerez avec des oignons entiers et du potiron débité en cube de 5 cm sur 5 cm.

Cuire 30 mn à feu doux. Assaisonner en dernières mn de cuisson.

Ce plat est recommandé aux diabétiques, problèmes de pancréas ou reins, agitation, hyper-tendus.

Oignon - Wakamé

Mettre à tremper l'algue wakamé 1/2 heure à l'avance. Placer les oignons dans une casserole avec les algues, couvrir d'eau, sauce de soja et cuire à feu doux 1/4 d'heure à 20 mn.

Ce plat convient aux instabilités mentales, aux hyper-tendus, aux femmes pour tempérer la rate-pancréas.

NORI

Au-dessus d'une flamme pas trop forte, passer la plaque d'algue nori jusqu'à ce qu'elle devienne croustillante. Brisez-la au-dessus d'un plat de riz ou de soupe ou de pâtes.

KOMBU

Faire tremper les algues 5 mn dans l'eau froide. Puis coupez-les en morceaux de 2 cm2. Placez-les dans une casserole et couvrez largement avec de l'eau (dont l'eau de trempage) et cuisez 30 à 40 mn en ajoutant de l'eau pour que les algues soient couvertes. Puis mettez 2 c. à s. de tamari et laissez cuire jusqu'à évaporation, puis recouvrez de nouveau les algues avec de l'eau et du tamari par 1/2.

Cuisez jusqu'à évaporation.

Répétez encore une fois cette opération. Servez un ou deux morceaux comme garniture très salée.

IZIKIS

Faire tremper les algues dans 3 volumes d'eau froide 10 mn.

Sortez-les et égouttez-les, en réservant l'eau de trempage.

Coupez-les en morceaux de 2 cm.

Chauffez une casserole, versez-y un peu d'huile puis les algues et faire cuire 5 à 10 mn en remuant doucement, puis couvrez avec l'eau de trempage et faites mijoter couvert jusqu'à attendrissement complet en rajoutant de l'eau si besoin est. Laissez découvert et ajouter le tamari lorsque le liquide est presque complètement évaporé et remuez bien jusqu'à évaporation complète du jus.

Mangez-en une cuillerée à café par repas. Ce plat se conserve plusieurs jours au frais dans un récipient couvert.

Le Souffle d'Or
au Château
91730 CHAMARANDE

Cher lecteur,

En plus des livres présentés ici, Le Souffle d'Or vous propose une sélection d'autres livres du Nouvel Age (ex. : Les enfants du Verseau de Marilyn FERGUSON) et de musiques importées spécialement et très rares en France.
Si vous désirez les connaître, et pour être averti au plus tôt de nos parutions, veuillez-nous retourner ce coupon rempli.

....

NOM et Prénom : ....
Adresse : ....
....
Code Postal : .... Ville : ....

Facultatif : Age : *Profession :*

☐ Je désire être averti des nouvelles parutions.
J'ai trouvé ce coupon dans le livre : ....
J'ai obtenu ce livre par : ....
J'en ai eu connaissance par : ....
(pour la presse, précisez le nom du journal)

Je suis particulièrement intéressé par les domaines suivants :

☐ *spiritualité*
☐ *société*
☐ *santé*
☐ *nature - écologie*
☐ *musique*
☐ *arts graphiques.*

Je veux bien participer à la diffusion de vos livres auprès :
☐ *de la presse (nous avons un communiqué)*
☐ *d'autres librairies*
☐ *du public (tracts)*

☐ Je suis prêt à aider financièrement Le Souffle d'Or et vous demande tous renseignements sur le sujet.
☐ Je vous donne les adresses d'autres personnes intéressées par vos livres.
....
....
....

ASSOCIATION
ÉVEIL A LA CONSCIENCE PLANÉTAIRE

ÉVEIL A LA CONSCIENCE PLANÉTAIRE est une association née le 24 janvier 1981 sous l'impulsion de quelques personnes, qui, après avoir été à FINDHORN, ont ressenti le besoin de partager et de mieux faire connaître à d'autres français cette extraordinaire expérience communautaire et spirituelle.

Son premier but est donc de traduire et de diffuser les nombreuses publications existant déjà en anglais et de permettre, par tous moyens (conférence; audiovisuels, ateliers, etc...) une bonne approche du «phénomène Findhorn».

Plus généralement, et tout à fait en accord avec l'esprit de Findhorn, (qui ne se présente pas comme un modèle unique, mais comme un centre de lumière parmi de nombreux autres), nous cherchons à partager la vision d'un «Nouvel Age», d'une planète unifiée (fruit d'une co-création de l'homme et des autres règnes, visibles ou invisibles), et reliée au cosmos.

Il s'agit pour nous de favoriser l'émergence d'une expression française de ces nouvelles énergies, en accord avec les spécificités de notre culture et de notre tempérament.

Une vision planétaire commune, donc, rassemble des gens très différents, d'origines spirituelles les plus diverses, qui choisissent de mettre l'accent sur leurs points communs plutôt que sur leurs différences, et qui ressentent l'urgence de s'ouvrir à l'amour universel pour co-créer une nouvelle terre et un nouveau ciel, de manière très concrète.

Cette partie de notre travail n'en est qu'à son début. Les membres du bureau et quelques proches amis y participent, au moyen d'harmonisations et de méditations. Nous sommes ouverts à tous, à vos impulsions et suggestions.

N'hésitez pas à nous demander le programme de nos activités et de nos prochaines publications !

P.S. Nous essayons autant que possible d'éviter de créer ou de transposer un «jargon du Nouvel Age». Ne vous attachez pas aux mots : notre but n'est pas de diviser, mais de réunir.

BULLETIN D'ADHÉSION

Bon à découper et à retourner au secrétariat de l'association :
c/o Yves MICHEL 91730 CHAMARANDE

Montant de l'adhésion par an : 100 F. par personne ou par famille ou communauté.

NOM :.. Prénom :..................................

ADRESSE :..

.... Tél. : ....

désire adhérer à l'association Éveil à la Conscience Planétaire, et joins un chèque de .... F. à l'ordre d'Éveil à la Conscience planétaire.

Signature et date :

Tous les problèmes financiers seront examinés avec bienveillance par le secrétariat.

* L'adhésion à l'Association comprend l'abonnement à la lettre d'information d'Éveil à la Conscience Planétaire, trimestrielle.

Iona Sarah Salomon

Fleurs et Santé

Les Harmonisants du Docteur Bach

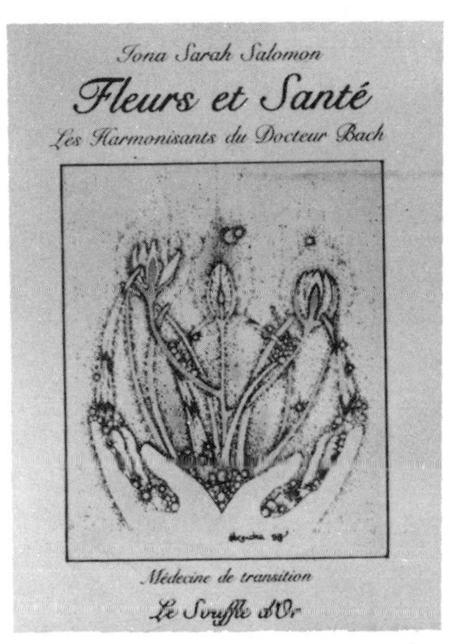

D'un tempérament entier, énergique, risque-tout, généreux et désintéressé, le Docteur Edward BACH parcourut la vie à grandes enjambées. Il fit d'abord une brillante carrière médicale comme pathologiste, bactériologiste, puis homéopathe, où il fut surnommé : le deuxième Hahneman.

Mais, indifférent aux honneurs et insatisfait de ses résultats, il abandonne cette carrière assurée pour aller au Pays de Galles chercher dans la nature les simples qui correspondraient aux manières de réagir chacun face à la maladie ; il mit en effet l'accent sur l'attitude intérieure dans les processus de guérison. Son génie appuyé sur une intuition très développée, se révéla totalement dans la mise au point de 12 puis 19 « remèdes » harmonisant les états d'être de ses patients.

S'étonnera-t-on d'apprendre qu'il prépara ses remèdes le plus simplement du monde, avec des FLEURS, du soleil et un peu d'eau ?

Accessible à tous, et aujourd'hui de plus en plus pratiquée en France par le corps médical, cette approche globale de la santé sort de l'ombre et se prépare un bel avenir : découvrez la !

« Il n'y a pas de vraie guérison sans changement de perspective, tranquillité du mental, bonheur intérieur ».

Dr Edward BACH

COLLECTION « SPIRITUALITÉ »

Le Souffle d'Or vous propose une autre collection de livres sur la spiritualité et les idées nouvelles ; les premiers sont des livres traduits de FINDHORN, mouvement spirituel basé en Écosse.

D'autres livres sont en préparation, en particulier les livres soufis de PIR VILAYAT KHAN, un livre sur la maternité, un sur la nouvelle physique, d'autres de FINDHORN.

Ce livre a été écrit en 1970 à Findhorn, communauté spirituelle située en Écosse, grâce à un travail de groupe dont David SPANGLER focalisa l'énergie et put ainsi rédiger ces messages qui forment un phare très puissant pour les consciences humaines à la recherche d'une profonde compréhension de la vie et de l'évolution planétaire. L'ancien monde agonise et disparaîtra de lui-même sans qu'il soit nécessaire d'entrer en conflit avec lui. « Amour Infini et Vérité », dans ces transmissions, dit simplement que le Nouvel Age est là, partout, que nous devons l'incarner, le manifester dans notre vie, par notre conscience et notre être, que son énergie est désormais intimement présente sur toute la terre et pour tous les règnes de la Nature : il appartient à chacun de s'y harmoniser et de participer à la construction de ce Nouvel Age.

Ce livre, qui rassemble l'intégralité des messages d'Amour Infini et Vérité et les commentaires de David SPANGLER, a été diffusé à plus de 50 000 exemplaires dans sa version anglaise ; il a été salué comme un ouvrage fondamental de notre époque. Il réalise la synthèse des concepts spirituels les plus élevés et les plus nouveaux (tels que la nouvelle venue du Christ cosmique), et de la vie quotidienne, concrète et relationnelle, qui s'en trouve éclairée.

Dorothy Maclean

LA VOIX DES ANGES

La voix des Anges après quelques siècles de silence se fait à nouveau entendre aujourd'hui, entre autres par la bouche de Dorothy MACLEAN. Cette voix est d'abord la « petite voix intérieure », intuition, messagère du plan divin, c'est ainsi que Dorothy la découvre, alors qu'elle cherche le sens de sa vie de voyages.

Au fil de son chemin intérieur, sa perception s'ouvre, s'affine ; elle vient à Findhorn, où elle fonde la communauté avec Peter et Eileen CADDY. C'est là qu'elle découvre les êtres subtils de la nature : Dévas, Anges, et autres esprits. Elle nous les présente au détour de ses aventures dans le jardin : la poésie du Déva de chaque plante, des fleurs, ses surprises et moments difficiles avec « l'esprit des taupes », la compréhension plus large que lui donne « l'Ange du paysage » dans de très nombreux messages, des points de vue étonnants des Dévas des grands arbres, par exemple, des « Etres du Feu », ou encore des « Esprits de la nuit ».

Au-delà des mots propres à Dorothy, voici une nouvelle perception de la nature et de la place de l'homme, vision complétant l'écologie parfois trop rationaliste. Redonnons vie et force à l'alliance entre les hommes et les Anges, pour co-créer le monde que nous habitons ensemble, et retrouver une sagesse de la vie.

Après l'approche conceptuelle de RÉVÉLATION, de David SPANGLER, voici ce livre qui parle au cœur, par la voix des Anges et d'une femme, simple, joyeux, inspirant, il fait jaillir de nous un élan créateur puissant et serein, au milieu de l'agitation de notre monde en mutation.

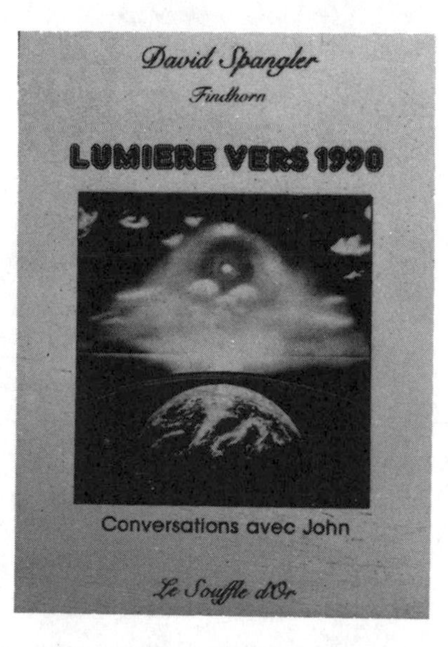

Les années 1980 ont été vues par d'innombrables voyants, astrologues, économistes ou policiciens, comme une suite sans trêve de caststrophes naturelles et humaines, rythmées par de nouvelles guerres ; ces formes-pensées ont envahi les médias jusqu'à la saturation des consciences...

A Findhorn, David SPANGLER se place à un autre niveau de conscience, d'où il décrit les forces en présence, à l'œuvre sur cette Terre, pour la transformer ; la transmuer. Grâce à la conscience plus vaste et invisible de John, il nous montre les subtiles et profondes interrelations entre les peuples en leur donnant une âme, et une mission : la Chine, la Russie, les Etats-Unis, les pays en développement vont-ils assumer leurs responsabilités, trouver comment traverser ces années de transition ?

A travers ce regard englobant et qui ouvre de nouvelles portes vers l'avenir, nous prenons conscience que l'avenir (et le présent) nous appartient, repose sur nos choix, notre maturité d'humains...

Au delà de cela, David et John nous invitent à ouvrir notre conscience et à coopérer avec les royaumes invisibles qui existent avec nous sur la Terre : depuis les petits êtres qui président à la croissance des végétaux et avec lesquels nous pouvons trouver des solutions à l'écologie, jusqu'aux très grands êtres gardiens des peuples ou de la planète pour établir l'harmonie et la beauté d'un nouvel âge.

David Spangler

Findhorn

AMOUR ET IDENTITE

David Spangler est un philosophe, un éducateur et un écrivain dont la conscience évoluée et la sensibilité l'ont amené à percevoir que l'humanité entre dans un nouveau cycle d'évolution et se trouve à l'orée d'un nouvel âge.

En 1964, il commença à donner des conférences et à travailler avec des groupes intéressés par le processus de transformation humaine et planétaire. Son travail l'a conduit à travers les Etats-Unis et en Europe. Il a été le co-directeur de la fondation Findhorn en Ecosse et est le fondateur de la Lorian Association en Amérique du Nord. Il est aussi l'auteur de plusieurs livres dont

« Révélation : naissance d'un nouvel Age »

Dans toute relation,
Vous explorez la réalité de l'âme.
Si vous cherchez une union parfaite,
N'attendez pas de l'autre la satisfaction de vos besoins.
Cherchez en lui l'étincelle divine,
Et que cette union soit pour vous
Un chemin de joie, d'équilibre,
Dans l'amour et la sagesse.
Alors le rôle de chacun prend
sa dimension divine,
Et prépare un nouveau monde.

Extrait du livre

Réalisation technique
CERDICIM
B.P. 64 - 84200 CARPENTRAS
Impression
VAUDREY LYON
Dépôt Légal 3e trimestre 1983